Sv

© KATRINDELL – FOTOLIA

Klaipéda.

…petit pays au nord-est de l'Europe, le long de la mer Baltique, est au carrefour des zones d'influence des grandes puissances traditionnelles du nord de l'Europe. Bien souvent négligée, ingérée puis dénigrée par l'ogre soviétique, la Lituanie a aujourd'hui soif de liberté et de reconnaissance. Les Lituaniens sont flattés que des étrangers prennent le temps de visiter leur pays et s'intéressent à leur culture. Si Vilnius est une étape incontournable, le reste du pays est encore trop peu visité par les étrangers. Et pourtant, les forêts parsemées de lacs aux eaux claires, jusqu'aux plages de la mer Baltique au sable fin et aux dunes majestueuses, font du voyage en Lituanie un vrai dépaysement. Si sa taille est modeste, la variété de ses paysages, la richesse de sa culture et de son histoire participent à une découverte étonnante et envoûtante. L'immersion en Lituanie est synonyme de magie. Le dynamisme culturel, toujours vivace, fut à l'honneur en 2009 avec le millénaire du pays. Pour la première fois dans un nouvel Etat membre de l'Union, Vilnius a été nommée capitale européenne de la Culture.

© POZITIVSTUDIJA – FOTOLIA

Folklore lituanien.

Sommaire

Découverte

Visite

La Colline des Croix près de Šiauliai.

© S.NICOLAS – ICONOTEC

Presqu'île de Neringa.

Pense futé

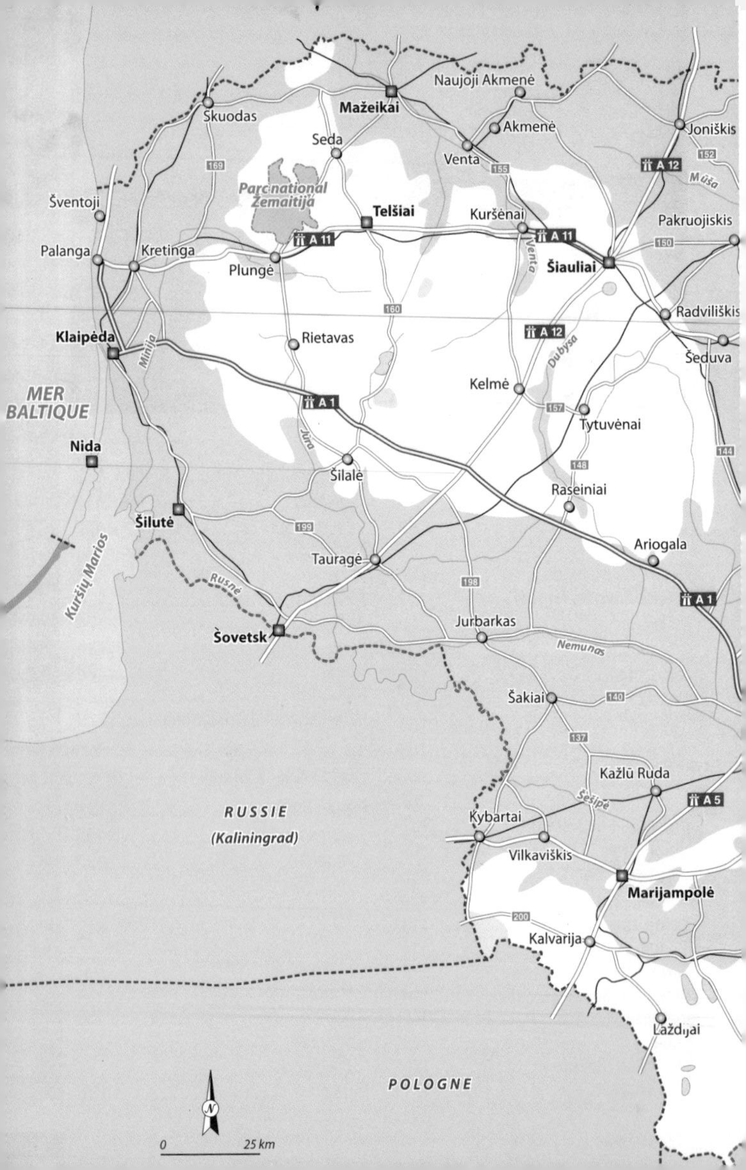
Mažeikai
Naujoji Akmenė
Skuodas
Akmenė
Joniškis
Seda
Venta
169
155
152
A 12
Mūša
Parc national Žemaitija
Šventoji
Telšiai
Kuršėnai
Pakruojiskis
A 11
A 11
Palanga
Kretinga
Plungė
Venta
150
Šiauliai
160
Radviliškis
A 12
Klaipėda
Minija
Rietavas
Dubysa
Šeduva
MER BALTIQUE
Kelmė
A 1
157
Tytuvėnai
Nida
Jūra
Šilalė
144
148
Raseiniai
Šilutė
199
Ariogala
Kuršių Marios
Tauragė
Rusnė
198
A 1
Jurbarkas
Šovetsk
Nemunas
Šakiai
140
137
Kažlū Ruda
Šešupė
A 5
RUSSIE
(Kaliningrad)
Kybartai
Vilkaviškis
Marijampolė
200
Kalvarija
Laždijai
POLOGNE
N
0
25 km

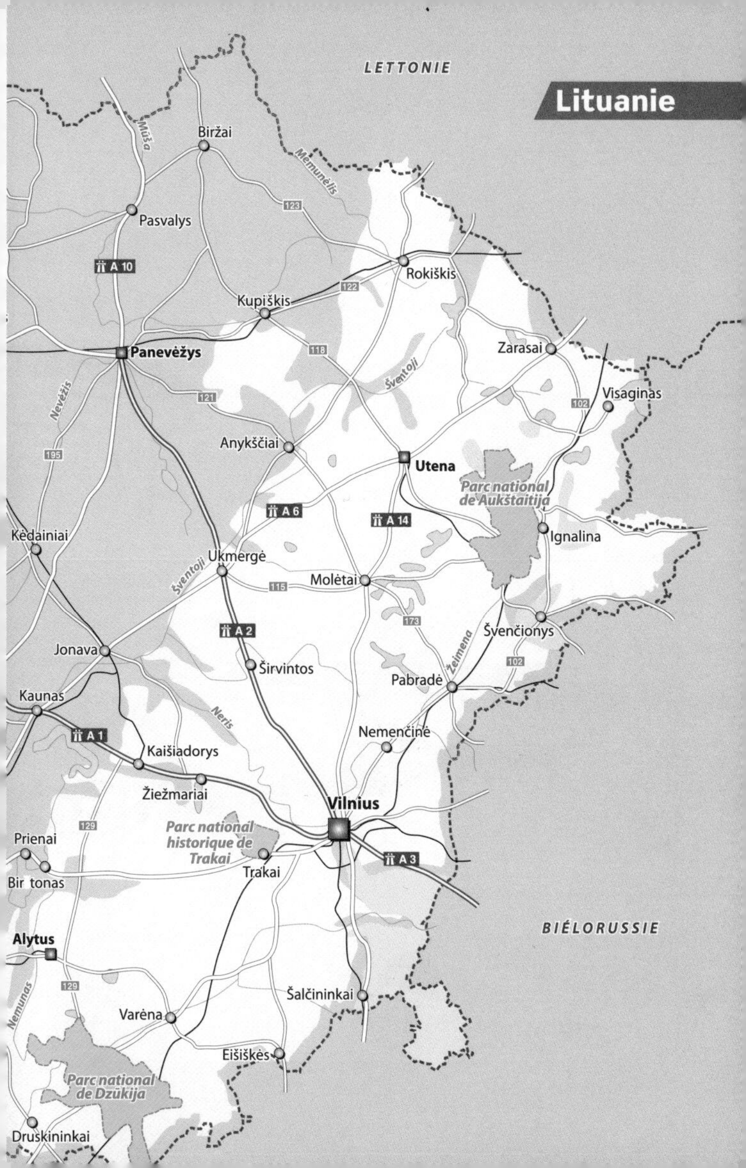

Lituanie
LETTONIE
BIÉLORUSSIE
Biržai
Mūša
Memunėlis
Pasvalys
A 10
123
Rokiškis
122
Kupiškis
Panevėžys
118
Zarasai
Šventoji
Visaginas
102
Nevėžis
121
195
Anykščiai
Utena
Parc national de Aukštaitija
A 6
A 14
Kėdainiai
Ignalina
Ukmergė
Šventoji
Molėtai
115
173
Švenčionys
A 2
Jonava
Širvintos
Želmena
102
Pabradė
Kaunas
Neris
A 1
Nemenčinė
Kaišiadorys
Žiežmariai
Vilnius
129
Parc national historique de Trakai
Prienai
A 3
Trakai
Alytus
129
Nemunas
Šalčininkai
Varėna
Eišiškės
Parc national de Dzūkija
Druskininkai

Château de Kaunas.

Les plus de la Lituanie

De riches pages d'histoire urbaine

Vilnius, imprégnée de catholicisme, est fière de ses églises considérées par beaucoup comme les plus belles du monde (notamment par Napoléon). Plusieurs musées et monuments retracent les luttes menées contre l'occupation soviétique et pour la souveraineté.

Les côtes de la mer Baltique

Le charme de Klaipėda, le port de la Baltique qui ne gèle pas en hiver, les traditions artisanale et gastronomique, la beauté sauvage des dunes de la lagune de Courlande, le savoir-faire local en matière de thalassothérapie : les superbes stations thermales et balnéaires... Autant de raisons qui incitent le visiteur à parcourir les plages de sable fin de la Baltique, tout en scrutant le sable mouillé dans l'espoir d'y apercevoir de l'ambre. A noter qu'en été la température de l'eau peut franchir la barre des 20 °C et qu'on peut donc s'y baigner !

Une nature préservée

La biodiversité du pays est phénoménale car elle jouit d'un environnement pur. Une bonne qualité environnementale de l'air, de l'eau et des sols, et l'existence de zones interdites à l'activité humaine – soit par décision stratégique de l'époque soviétique, soit en raison de la difficulté de cultiver certaines terres –, tout concourt à ce

Château de Trakai.

que la région soit le dernier conservatoire de nombreuses espèces animales et végétales. Mais le facteur essentiel en la matière, ce sont les habitants de la région qui, malgré la pression économique ambiante, conservent leur amour et leur respect de la nature, dans la lignée d'un paganisme encore bien vivant.

Proximité et diversité

Avec un territoire d'une superficie de 65 300 km², presque équivalent à celui de l'Irlande, et une population n'atteignant pas les 4 millions d'habitants, la Lituanie est un petit pays. Par conséquent, tout est proche : le moindre voyage ne nécessite pas plus d'une demi-journée, le plus long étant Vilnius-Klaipėda, soit de l'est à l'ouest du pays, pour 5 heures maximum de trajet. La plupart des sites sont à moins de 2 heures de route les uns des autres. Un voyageur qui a soif de découvertes pourra aisément se déplacer tous les jours, pour engranger un maximum de souvenirs. Cette proximité n'empêche pas une grande diversité de paysages (des dunes de Nida aux nombreux lacs d'Aukštaitija, en passant par le Vilnius baroque), d'ethnies, de langues et dialectes, ou encore de coutumes.

Un musée vivant de l'Europe préchrétienne et médiévale

Evangélisés (de gré ou de force) tardivement et superficiellement, les Lituaniens ont résisté à leur manière à la christianisation. Résistance passive, intégration des mythes chrétiens dans

La Colline des Croix près de Šiauliai.

la croyance fondamentale indo-européenne jusqu'au syncrétisme, détournement des modalités de culte, tous les moyens furent bons pour conserver leur héritage préchrétien jusqu'à nos jours. Ce qui permet aujourd'hui d'y découvrir des traditions, des coutumes et des formes de culte qui, tout en pouvant paraître étranges, ne sont pas véritablement étrangères : elles ont les mêmes racines indo-européennes que celles qui existaient en Europe occidentale avant son évangélisation. En s'attaquant avant tout à la religion chrétienne et en bloquant la majorité des tentatives d'archéologie susceptibles de révéler un autre passé que celui de *l'homo sovieticus*, la chape soviétique a eu l'effet inattendu d'avoir ainsi préservé un fonds culturel et historique qui n'a pas été surexploité ou dénaturé.

Cathédrale de Vilnius.

Une excellente qualité de vie

Elle est due principalement aux nombreuses activités et manifestations culturelles organisées dans les grandes villes. Mais également au fait que la nature tient une place privilégiée dans le cœur des Lituaniens, qui lui ont ainsi permis de s'épanouir jusque dans le centre de leurs villes : la capitale regorge de parcs, de verdure ; elle est aussi bordée par la forêt. En outre, les peuples lituaniens sont réputés pour leur goût du calme et de la lenteur ; en se promenant dans le centre de Vilnius, on ne ressent pas le stress d'une métropole. Il en va de même de la sécurité quotidienne : une jeune femme peut traverser Vilnius à pied, en pleine nuit, sans risque particulier. Le moindre incident est longuement commenté, justement à cause de sa rareté, à la une des quotidiens.

Une communication aisée

Elle est tout à fait possible en anglais, en russe ou en allemand. La petite taille du pays favorisant adaptation et changement rapides, les citoyens apprennent les langues étrangères avec aisance, pratiquent avec enthousiasme la langue des maîtres du monde (aujourd'hui, une grande majorité d'individus parle l'anglais), ne négligent pas celles de leurs puissants voisins allemand et russe, et délaissent sans état d'âme la langue de Molière qui fut un temps la première en Lituanie. Cependant, l'intégration européenne a donné une nouvelle force à l'enseignement des langues latines (français, italien et espagnol) et la facilité naturelle des Lituaniens pour les langues fait le reste. Essayez de parler français dans les cafés à la mode qui emploient de jeunes étudiants, et vous pourriez bien avoir une agréable surprise.

Église Sainte-Anne et le monastère des Bernardins.

Beffroi de Vilnius.

Fiche technique

Argent

Monnaie : le litas ; symbole international : LTL ; symbole national : Lt.

Taux de change : 1 € = 3,4528 Lt / 1 Lt = 0,29 €.

La Lituanie en bref

Population

Population : 3 535 547 habitants (juillet 2011) dont 67 % en milieu urbain et 33 % en milieu rural.

Composition : 84,3 % de Lituaniens, 6,2 % de Polonais, 5 % de Russes, 1,1 % de Biélorusses, 0,6 % d'Ukrainiens et les minorités juive, tsigane, tatare et karaïte.

Densité : 52 hab./km² (2011).

Diaspora : 2 millions de Lituaniens vivent à l'étranger (Etats-Unis, Canada, Australie, Brésil, Royaume-Uni).

Religion : catholique en majorité, mais tous les cultes cohabitent : luthérien, calviniste, orthodoxe, judaïque, karaïte, sunnite et païen.

Politique et économie

Nature du régime : République démocratique.

Présidente de la République : Dalia Grybauskaitė (2009).

P.I.B : 36,3 millions US$ (2010).

Le drapeau lituanien

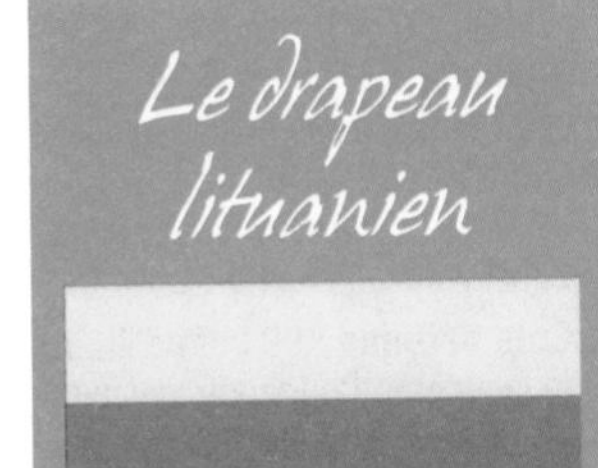

C'est le 11 novembre 1918 que le drapeau a été adopté par le Conseil lituanien, qui avait confié le soin de redessiner le drapeau national à une commission composée par J. Basanavičius, de l'artiste A. Žmuidzinivičius et de l'archéo-anthropologue T. Daugirdas. A l'origine, le drapeau du grand-duc Gediminas était rouge avec un cavalier blanc et datait de la fin du XIVe siècle. Il comporte trois bandes horizontales de tailles égales : jaune, verte et rouge. Ce sont les couleurs les plus utilisées dans les arts folkloriques et notamment dans les costumes traditionnels. Le jaune représente le soleil chatoyant, le vert la nature si importante et le rouge rappelle le sang versé par les défenseurs de la patrie.

P.I.B./habitant : 16 000 US$ (2011).

Géographie

Situation : le centre de l'Europe se situe au 54°51' Nord et au 25°19' Est, soit à 20 km au nord de Vilnius.

Le centre a été calculé par l'I.G.N. français.

Superficie : 65 300 km² (le plus grand des Etats baltes).

Distance : Paris-Vilnius : 1 720 km.

Frontières : 1 731 km de frontières dont 273 km avec la Russie (enclave de Kaliningrad), 660 km avec la Biélorussie, 576 km avec la Lettonie, 103 km avec la Pologne.

Côte baltique : 99 km de littoral et la lagune de Courlande, délimitée par la presqu'île de Neringa et la côte lituanienne.

Point culminant : le mont Juozapinės (294 m).

Capitale : Vilnius.

Téléphone

Appeler de France en Lituanie : 00 + 370 + code de la localité + numéro de votre correspondant.

Appeler de Lituanie en France : 00 + 33 (code de la France) + numéro de votre correspondant sans le 0.

Appeler de Lituanie en Lituanie : code de la localité + numéro de votre correspondant.

Appeler depuis un portable : 8 + code de la localité + numéro de votre correspondant.

Saisonnalité

La haute saison touristique s'étend du 20 juin au 31 août. C'est sans doute la meilleure période pour visiter le pays ; cependant les visiteurs y sont de plus en plus nombreux et les prix plus élevés (logements). A noter qu'il devient impératif de réserver.
Les périodes de Noël et les fêtes de Pâques attirent des touristes de la région (Scandinaves et Russes). Les saisons creuses sont l'automne (octobre et novembre) et la fin de l'hiver (mars et début avril), en grande partie en raison du temps : l'automne est gris, voire sombre, et humide, et la fin de l'hiver est faite de neige mouillée et de giboulées. Pour profiter de la neige et des sports d'hiver, les meilleures périodes sont les mois de janvier et février.

Vieille ville de Klaipéda.

Maison de Perkunas à Kaunas.

Artisanat d'ambre.

La Lituanie en 10 mots-clés

Ambre

Cette résine fossilisée se présente sous forme de cailloux, le plus souvent transparents et orangés mais également dans des teintes plus foncées. Les lendemains de tempête, on peut en trouver des morceaux en se promenant sur les plages. C'est à cette résine que le littoral balte doit son surnom de « côte d'Ambre ». Ramenée par les vagues sur le sable, elle provient de dépôts issus de l'Oligocène. Un réchauffement climatique brutal a amené les résineux de cette ère à « suer » des rivières, voire des fleuves de résine qui s'est accumulée dans les creux de terrain. L'ère glaciaire suivante les a recouverts et a permis leur fossilisation. Certains morceaux d'ambre contiennent des plantes, des insectes ou des petits animaux prisonniers de la résine depuis cette période, qui sont d'un très grand intérêt pour les scientifiques, augmentent leur prix à la vente et sont à la source de nombreuses petites escroqueries.
L'ambre, appelé souvent « l'or balte », était très recherché depuis l'Antiquité. Les Grecs l'appelaient *elektron* et ce sont ses propriétés électrostatiques qui ont fait découvrir l'électricité. Les savants de la Renaissance n'ont fait que reprendre le vocable grec. Les Baltes font le commerce de l'ambre depuis des millénaires et Pline l'Ancien parlait de cette tribu du Nord « qui s'étonnait elle-même du prix auquel elle vendait cette matière qu'elle tenait de sa mer ». On en fait encore aujourd'hui de magnifiques bijoux (colliers, bracelets, boucles d'oreilles), des ornements de tout genre vendus dans de nombreuses boutiques ou sur les étals dans les rues. Pour savoir si l'on vous vend de l'ambre vrai ou faux (plastique ou résine), c'est facile : promenez la flamme d'un briquet sous le morceau, puis essuyez-le, il ne doit rester aucune trace et l'ambre refroidit très vite. Le plastique ou la résine seront marqués et resteront brûlants. Comparativement aux prix pratiqués en France, l'ambre reste encore très abordable pour le touriste. On pourra visiter à Palanga, sur la côte lituanienne, un grand musée de l'Ambre, situé dans un vaste parc botanique à la sortie de la ville. Rassemblant plus de 25 000 pièces, c'est un musée incontournable pour les amateurs de cette résine fossile à laquelle ont toujours été attribuées des propriétés magiques ! C'est à Kaliningrad, que les prix défient toute concurrence, récompense absolue des plus courageux qui auront traversé la frontière.

Cigogne

A la campagne, quand reviennent les beaux jours, il est fréquent de voir des cigognes juchées majestueusement sur leur nid. La cigogne blanche est d'ailleurs l'un des symboles de la Lituanie, et le célèbre oiseau alimente de nombreux contes et légendes. Le pays est, en été, le lieu du plus important rassemblement de cigognes en Europe. Mais la cigogne noire habite, elle aussi, la région. Contrairement à sa cousine blanche qui recherche souvent la compagnie de l'homme, la cigogne noire est très timide et préfère les marais inaccessibles aux sommets de cheminées ou de poteaux électriques. Selon la tradition locale, voir une cigogne noire est un présage heureux pour plusieurs années (ce qui dit bien la rareté de telles rencontres). Il est également dit que là où les cigognes nichent, vous serez toujours bien accueilli. Le départ des cigognes, le 24 août, marque la fin de l'été en Lituanie. Dans le cœur des habitants, cette date correspond à peu près au jour du Ruban noir (pacte Molotov–Ribbentrop, le 23 août), soit le jour où 2 millions de Lituaniens, Lettons et Estoniens ont formé une chaîne humaine pour protester contre Moscou. L'envol de la cigogne rappelle l'envol de la Lituanie.

Nid de cigogne dans la campagne près de Šiauliai.

Kubilas

Le *kubilas* est une baignoire extérieure, en bois, chauffée au feu de bois. On en trouve partout à la campagne. L'eau y est très chaude. Après ce bain, utilisé hiver comme été, il est d'usage de se baigner dans une eau fraîche, voire glaciale. Le sauna (*pirtis*) est également un élément fondamental de la vie quotidienne lituanienne. Traditionnellement, le sauna fait office de salle de bains dans les campagnes et les maisons d'été, qui ne sont pas équipées d'eau courante. Mais au fil des siècles, il est devenu un instant privilégié de retrouvailles, de partage et de bien-être. Tout séjour en Lituanie passe par l'expérience du *kubilas* ou du *pirtis*.

Lin

La Lituanie est le premier producteur au monde de lin. Les paysages du nord du pays, surtout dans la région de Panevėžys, sont truffés de moulins à vent, mais pas seulement.

Lac de Trakai près de Vilnius.

Aušros Vartai, porte de l'Aurore, à Vilnius.

On en trouve un peu partout, dans les parcs nationaux. C'est à Panevėžys que l'industrie du lin s'est développée et pour tout achat, cette ville est largement recommandée.

Mer Baltique

Elle est alimentée par des rivières, ce qui lui vaut sa faible salinité. Dépourvue de marées – car elle ne possède qu'une seule ouverture sur l'océan, peu profonde – elle communique avec la mer du Nord par le détroit du Danemark. La mer Baltique est récente (7 000 ans seulement). Elle s'est formée à la suite des fontes de la couche glaciaire qui couvrait la région. Les plages sont magnifiques : sable blanc assez fin, dunes à perte de vue et eau claire. Une étape incontournable dans le voyage.

Paganisme

Avant les croisades germaniques qui imposèrent le christianisme, les Lituaniens avaient leurs propres rites indo-européens, partageant des racines communes avec les mythes védiques (la langue lituanienne a pour plus proche « cousine » linguistique le sanscrit). Cependant, les millénaires de vie en commun avaient rapproché les croyances des Protobaltes et des Finno-Ougriens : les premiers intégrant *Le Kalevala* (geste symbolique épique racontant comment un héros vole aux dieux les secrets du feu et de la forge) des seconds qui empruntèrent en partie le panthéon indo-européen des dieux trifonctionnels (qui se divisent les fonctions en trois domaines : la magie et le droit, la guerre et la ruse, la fécondité et la reproduction) des premiers. Chaque divinité se voyait attribuer, en plus de ses fonctions sacrées et de son domaine onirique, un domaine du réel : à Perkūnas le tonnerre, à Saulė le soleil, à Dievs (Dhyauh dans les textes védiques) le ciel, à Meness la lune... Pour les Lituaniens, les dieux ont une vie proche de celle des humains (famille, mariage, infidélité, combats, travaux) et on leur parle comme à un ami ou un membre de la famille. On trouve également, en lien avec les plus anciennes religions, la notion de « mères », qui protègent et gèrent certains domaines de la nature parfois en « cascade » : mère de la nature, mère de la forêt, mère des buissons. Ces religions sont encore très présentes dans la vie quotidienne et, en Lituanie, il existe un concordat avec la « religion traditionnelle ».

Peuples chanteurs

Ce surnom colle à une réalité sociale et artistique, issue d'une culture populaire vaste qui s'est fondée autour de romances et de chansons de marins, de bergers, de paysans, de villageois et de marchands, et surtout du mode de transmission de la tradition balte : les *dainas* (poèmes rythmés).

Ultérieurement, le développement significatif du chant choral jouera un rôle dans le mouvement de renaissance nationale. 1989 : les festivals de chants prennent une dimension inédite dans le rejet passif de la domination soviétique.

Depuis une décennie, chaque festival vocal prend une dimension historique, devient une revendication de l'identité nationale. Pour un Lituanien, chanter, notamment au sein d'une chorale, c'est crier sa liberté, c'est revendiquer sa nation. La fête du chant Gaudeamus – *Nous nous réjouissons,* en latin – est célébrée et les grandes villes disposent presque toutes d'un parc à concerts géant. Les concerts les plus émouvants pourront être vécus au parc Vingio de Vilnius. Les programmations d'été sont les plus fournies. Les dainas ont été classés au patrimoine mondial de l'Unesco et un festival a lieu tous les 4 ans.

Soviétique

En plus des déboulonnages systématiques des statues de Lénine depuis l'indépendance, le pays a évidemment regagné ses attributs nationaux comme, par exemple, la toponymie des rues. On a réécrit les manuels d'histoire, restauré les monuments et rendu sa place à la religion après tant d'années d'athéisme communiste... Il reste pourtant des marques bien présentes de ce douloureux passé. Les nostalgiques de l'époque trouveront de quoi se régaler à Grūtos Parkas, proche de Druskininkai, à Zokniai, proche de Šiauliai, dans la région de Žemaitija autour du lac Plateliai, et à Vilnius : statues, anciennes bases militaires ou musée du KGB...

Stations balnéaires

Nida, Palanga ou Šventoji : si ces noms n'évoquent rien pour vous, c'est que vous ne connaissez pas l'équivalent lituanien de nos Saint-Tropez, Lacanau et autres Touquet plage. Profitant à fond du dynamisme suivant l'entrée dans l'économie de marché, le littoral s'est considérablement développé en infrastructures touristiques de qualité. D'abord anciens villages de pêcheurs, puis bétonnés en centres de loisirs sur le modèle des H.L.M. soviétiques dans les années 1980, ces bords de mer ont subi des transformations radicales au cours des 10 dernières années. Hôtels luxueux, spas et saunas grandioses, promenades coquettes, boîtes et DJ de standing international, tout a été réaménagé et revu pour valoriser un potentiel touristique enfoui sous des années de régime moscovite.

Villes

La plupart des grandes villes devraient être visitées à pied et l'on regrette que le centre de Vilnius ne soit pas encore fermé aux voitures. Leur configuration est souvent la même : un vieux centre historique en cours de restauration dont les rues, étroites et commerçantes, regroupent tous les principaux musées et points d'intérêt, et une périphérie aux grandes perspectives de banlieue auxquelles sont venus se greffer les H.L.M. soviétiques. Au sortir de ces grandes villes, on se trouve rapidement à la campagne (maximum 5 km). Une aubaine pour les amoureux de la nature que l'ambiance citadine ennuie. Il faut aussi souligner que Vilnius et les autres villes du pays sont bien plus vertes que nos grandes métropoles : elles disposent toutes de parcs immenses en plein cœur de la ville, et souvent même de lacs.

Laisvės Alėja, l'avenue de la Liberté.

Château de Trakai.

Survol de la Lituanie

Considérer la Lituanie comme un pays de l'Est serait une erreur ; ce pays fait plutôt partie de l'Europe centrale. En effet, selon les calculs effectués par l'Institut Géographique National (I.G.N.) français en 1989, la Lituanie se trouve exactement au centre de l'Europe. D'ailleurs, une sculpture et un musée situés à 24 km de Vilnius nous l'affirment et nous le rappellent. Plat pays, parsemé de lacs et de rivières, la Lituanie séduit par le charme de ses campagnes et de ses nombreuses et épaisses forêts. Faisant partie de la grande plaine d'Europe orientale, elle est située à la croisée des chemins. C'est le plus grand des Etats baltes, et peut-être aussi le plus latin et le plus rural, par son style de vie et sa mentalité. Ses quatre régions principales sont celle d'Auškštaitija à l'est (la plus élevée), de Dzūkija au sud, de Suvalkija au sud-ouest, et de Žemaitija à l'ouest (la moins élevée). Le fleuve Niémen rassemble les eaux de nombreux affluents et les mène jusqu'à la mer Baltique, où se trouve la célèbre côte d'Ambre de Lituanie. C'est un banc de dunes et de pins de 98 km de long, qui s'étire du sud-ouest jusqu'au port de Klaipėda et enserre le vaste lagon de Neringa. Depuis des siècles, l'ambre, la moisson si précieuse de la mer, a été rejeté dans ces sables dorés. La Lituanie est limitée au nord par la Lettonie, à l'est par la Biélorussie, au sud par la Pologne et au sud-ouest par l'enclave russe de Kaliningrad. Elle est bordée par sa côte baltique, constituée de larges plages de sable fin, de dunes (sur la presqu'île de Neringa) et d'une lagune (de Courlande) qu'elle partage avec Kaliningrad.

Géographie

Jacques Brel aurait pu chanter la Lituanie, l'altitude ne dépassant guère les 300 m (point culminant : le Juozapinės avec 293,6 m). Une partie de la région de Kaliningrad se trouve en dessous du niveau de la mer (en moyenne, 50 m). La bande côtière varie entre falaises, dunes et rives marécageuses. Autre caractéristique : la superficie réduite du pays. En effet, du nord au sud de la Lituanie, on ne compte que 276 km, qu'il est possible de parcourir en moins d'une journée. Un territoire qui a hérité des dépôts de la couche glaciaire présente il y a quelque 12 000 ans av. J.-C., et qui compose l'actuelle plaine d'Europe du Nord. Un territoire traversé donc par de nombreux cours d'eau (le plus connu, le fleuve Niémen ou Nemunas, et son affluent la Néris en Lituanie) et de 3 000 lacs disposés dans un écrin de végétation.

Climat

Du nord au sud, la Lituanie est située entre le 56e et le 53e parallèle, c'est-à-dire à la latitude nord du Canada. Malgré des hivers rigoureux (adoucis en partie par la présence de la mer Baltique), le climat est tempéré, mais frais et humide.

Plus on pénètre dans les terres, plus il devient continental, avec des températures parfois inférieures de 4 °C à celles des côtes en plein hiver, et supérieures d'au moins 2 °C en été. Du fait de la situation septentrionale du pays, les journées d'été y sont particulièrement longues (surtout en juin, le mois le plus agréable, alors que les précipitations sont fréquentes en juillet et août).

Environnement - Écologie

La période soviétique d'industrialisation forcée et de militarisation stratégique de la région a été marquée par une grande irresponsabilité des dirigeants de l'époque sur le plan écologique : déchets chimiques, pollution des rivières, de la mer Baltique et de l'air, centrale nucléaire de Visaginas (de type Tchernobyl)... L'environnement en a beaucoup souffert. L'augmentation du trafic et du parc automobile est la cause principale des émissions de dioxyde de carbone. Toutefois, la prise de conscience du problème a été générale au moment de l'indépendance. Depuis, une nette amélioration est en cours, associée à une coopération croissante avec les instances et les organisations internationales (dont le WWF) pour revenir à une situation plus saine et créer le cadre législatif nécessaire. L'environnement urbain est un modèle pour les capitales européennes : les villes sont d'une propreté extrême et jouissent d'espaces verts présents jusque dans les centres urbains. Vilnius dispose de nombreuses poubelles et de cendriers ; de retour dans votre ville, vous en viendrez à les regretter et à ne savoir que faire de votre papier ou mégot. Après avoir joué un rôle important dans les mouvements d'indépendance, les mouvements écologiques restent puissants et la sauvegarde de l'environnement est redevenue l'une des priorités après les années de laisser-aller de la période soviétique.

Faune et flore

Favorisées non seulement par l'abandon administratif de l'U.R.S.S. de vastes régions agricoles, mais ayant bénéficié aussi depuis la dernière décennie d'hivers moins rigoureux, de nombreuses espèces végétales et animales ont pu se développer sauvagement, à leur guise : élans, sangliers (énormes comme ceux rencontrés sur la presqu'île de Neringa), renards, lynx, visons, mais aussi une grande colonie de loups, et même de bisons (Pašiliai, dans le parc régional de

Maison de pêcheur de Preila.

Krekenava). On trouve des castors et des loutres dans les lacs et les rivières. La région représente également une magnifique réserve ornithologique : canards, grues, échassiers, sternes, cygnes, corneilles, et l'une des plus grandes colonies de cigognes d'Europe. Toutes les réserves naturelles font l'objet d'un contrôle rigoureux, et des règlements sont imposés à l'entrée, comme ceux concernant le camping, la chasse ou la pêche. En règle générale, demandez toujours les informations nécessaires à l'entrée des parcs avant de vous y aventurer. Des notices, désormais traduites en anglais et en allemand, sont vendues dans les points d'information des villages. Avant de partir dans la nature, se procurer les cartes détaillées dans les offices du tourisme est infiniment plus pratique. Les amoureux de nature et de randonnées seront comblés dans ce pays dont 25 % du territoire est recouvert de magnifiques forêts de conifères (pins, sapins) et de bouleaux principalement. Les amateurs d'équitation seront intéressés de savoir que l'étalon Trakehner est originaire de Kaliningrad. Son élevage date du régime prussien, au XVIIIe siècle. Champignons comestibles et baies tapissent les sous-bois et font le plaisir des amateurs de cueillette, des locaux qui les revendent sur les marchés dès l'arrivée des beaux jours, surtout en automne. Les innombrables lacs invitent à la baignade et à la pêche. La très faible pollution des eaux et la présence d'une chaîne écologique complète jusqu'aux grands prédateurs favorisent la présence de nombreuses espèces européennes de poissons, crustacés et mollusques d'eau douce devenues bien rares en Europe de l'Ouest ou du Sud. Une invitation à pratiquer toutes les formes de pêche traditionnelle (anglaise, mouche...), mais aussi à découvrir les méthodes nordiques d'été ou d'hiver (pêche sur glace). En outre, de nombreuses régions sont dotées de vastes parcs naturels, incontournables pour le voyageur.

Histoire

Les origines et l'ère chrétienne

Jusqu'à la fin du Ier millénaire, on dispose de peu d'éléments relatifs à l'histoire des peuples baltes hormis quelques données archéologiques et linguistiques. Les premiers habitants de la région furent les peuples de langue finno-ougrienne venus de l'Est (de la région de l'Oural), vivant de la chasse. Ils s'installèrent dans le Nord entre 4000 av. J.-C. et le début de notre ère. A partir de 2000 av. J.-C., les peuples de langue balte (famille indo-européenne), ancêtres des Lettons et des Lituaniens, s'établirent au Sud, aux confins de la Daugava et du Niémen.

Parmi les peuples baltes, on distingue plusieurs groupes : les Koures, Zemgals et Selonians couvrent une partie nord de la Lituanie. La Lituanie fut surtout peuplée par les Samogitiens (au centre), les Auškaitiai (à l'est) et les Yotvingiens (au sud). L'ouest lituanien était habité par les Prussiens, également appelés Borusses. Ces peuples de la région baltique, que l'historien Tacite a surnommés « Aestii » et « Fenni » (peuples de l'Est et des marécages), étaient peu connus des Grecs et des Romains. La connaissance qu'ils en avaient, ils la tenaient surtout des marchands germains qui exportaient vers l'empire l'ambre très convoité, transformé en bijoux et autres ornements. Aux alentours du Ve siècle, ces peuples paysans et marchands de la région baltique subirent la domination des Goths, puis celle des Huns et des Slaves qui vinrent s'établir en grand nombre dans la région de la future Lettonie. Au IXe siècle, la région vécut, à l'ouest, l'invasion des Vikings (les Varègues, aventuriers suédois et autres marins danois). Rejetés à la mer, vers l'an mille, par les Estes et les Koures, ces derniers entreprirent également des expéditions maritimes pour aller piller les chrétiens en Suède ou au Danemark.

Le début du IIe millénaire est marqué par les appétits de conquête des puissances voisines et par leur volonté d'évangéliser ces peuples d'Europe, résolument païens et heureux de l'être... Le premier missionnaire, un Tchèque, l'évêque Saint-Aldebert, part convertir les peuples païens du Nord. Il sera massacré par les Prussiens pour avoir dormi, avec ses compagnons, dans un lieu sacré.

Au milieu du XIe siècle, les armées russes, à l'Est, tentent d'imposer la religion orthodoxe à toute la région baltique.

La période médiévale et la colonisation des chevaliers teutoniques

Dès la fin du XIIe siècle, les Lituaniens et leurs voisins sont victimes de la volonté de christianisation et de colo-

nisation des ordres monastiques et militaires germaniques, dans le but aussi de créer des conditions favorables aux marchands de la Ligue hanséatique.
La Livonie est la première région à subir la poussée des chevaliers conduits par l'évêque Albert, avec la bénédiction du pape Innocent III. Les colons allemands affluent. Formés en 1204 par le moine Théodoric et aidés par les Danois, les chevaliers porte-glaive poursuivent la conquête vers le Nord. A partir de 1237, les chevaliers porte-glaive du Nord se rassemblent sous le nom de l'Ordre livonien. Cette période est marquée parallèlement par l'implantation des Allemands, une implantation à caractère surtout commercial et financier dans le cadre de la Hanse. Le sud de la région subit de son côté la pression des chevaliers teutoniques qui, chassés de Terre Sainte, s'établissent en Prusse dès 1226 pour évangéliser de façon violente les populations borusses. Ces populations, ancêtres des Prussiens, seront totalement exterminées.
Les chevaliers teutoniques s'unissent alors aux chevaliers porte-glaive du nord pour former un Etat germanique et étendre leur domination à la Lituanie, la dernière insoumise. A cette époque, le grand-duché de Lituanie représentait un des plus vastes pays d'Europe. S'étendant de la Baltique à la mer Noire, englobant l'actuelle Biélorussie et l'essentiel de l'Ukraine, il constituait pour l'Occident un rempart contre les invasions barbares venues de l'est. Pour éviter la croisade chrétienne qui menaçait son pays, le grand-duc Mindaugas et ses chevaliers se convertirent en 1252 au catholicisme après avoir édifié la Nation lituanienne. Il est dit que ce n'est que duperie et que Mindaugas continuait à pratiquer les rites du paganisme. Cependant, la forte influence du paganisme dans la région, ajoutée à la tentation certaine de se rapprocher de l'orthodoxie et de Byzance (du fait de la présence de nombreuses populations slaves sur le territoire lituanien), conduit les chevaliers germaniques à ne pas relâcher leur pression, bien au contraire. Mais ce n'est qu'au cours du XIVe siècle, sous Gediminas, puis Vytautas qui consolide l'Empire lituanien, que le pays manifestera sa conversion au catholicisme en se rapprochant de son voisin polonais, se préservant ainsi de la conquête. Déjà en 1385, le grand-duc Jagellon, prédécesseur de Vytautas, avait scellé le destin de la Lituanie en se mariant avec la reine Jadwiga de Pologne (Edwige d'Anjou). Ainsi, par simple union, le petit pays absorbait le grand voisin lituanien de l'époque. Cet événement, resté présent dans les mémoires, est à l'origine de la longue animosité qui a alimenté les relations entre les deux pays. La sanglante défaite de Tannenberg (ou Grunwald) en 1410, qu'une coalition polono-lituanienne inflige aux chevaliers germaniques, sonne le déclin de l'Ordre teutonique. Au moment de la Réforme, la Lituanie, du fait de son rapprochement avec la Pologne, s'ancrera dans le catholicisme.

L'expansion polonaise et la progression russe

A la fin du XVe siècle, la région subit la pression des Russes conduite par Ivan le Terrible. Au sud, face au danger grandissant, l'Union de Lublin, proclamée le 1er juillet 1569, unit définitivement le royaume de Pologne au grand-duché de Lituanie pour former une seule et unique république. L'influence polonaise sur le territoire lituanien concernera l'économie aussi bien que la religion et l'enseignement...

On appelle cette période la « Polonisation ». La fin du XVIIe siècle est marquée par l'irrésistible progression de la Russie tsariste de Pierre le Grand. Le sort de la Lituanie est lié au XVIIIe siècle à celui de la Pologne, qui sera partagée trois fois consécutivement entre l'Autriche, la Russie et la Prusse (1772, 1793 et 1795). En conséquence, une bonne partie du territoire lituanien passe également sous tutelle russe, excepté la région de Königsberg (Kaliningrad aujourd'hui), qui est rattachée à la Prusse. Au début du XIXe siècle, toute la région est sous le contrôle de la Russie tsariste.

La période libérale et la montée des nationalismes

Les échos de la Révolution française parviennent jusqu'aux bords de la Baltique. Après sa victoire sur les armées russe et prussienne, Napoléon signe le traité de Tilsit, en 1807 avec le tsar Alexandre Ier, et crée le duché de Pologne. Quand il arrive en 1812, Napoléon et ses troupes sont perçus comme des libérateurs par les Lituaniens. Une fois le Niémen et la Néris franchis à Kaunas, Napoléon arrive à Vilnius et l'occupe dix-neuf jours, pendant lesquels treize régiments lituaniens seront constitués pour rallier la Grande Armée. Les espoirs d'indépendance retrouvée sont ravivés car il autorise un gouvernement provisoire. Mais ce n'est que de courte durée, car perdant la bataille dans le froid de la Grande Russie, les espoirs de la Lituanie s'effondrent.

Le début du XIXe siècle sera marqué par le mécontentement grandissant et les soulèvements de la classe paysanne. Bien qu'en retard sur la question paysanne, la Lituanie bénéficie en ce début de siècle d'une libéralisation sur le plan religieux et de l'enseignement. Mais face au renouveau inquiétant de la culture polonaise, les Russes réagiront violemment dès 1830. Leurs cibles principales seront l'enseignement, l'Eglise catholique et la noblesse. Cette période de répression marque surtout une volonté de « dépoloniser » la région. En 1831, la Lituanie se soulève contre le tsar. La répression est forte : les monastères sont fermés, les églises catholiques deviennent orthodoxes, l'université de Vilnius est fermée et le russe est enseigné obligatoirement. C'est la première vague d'émigration vers l'Amérique du Nord. En 1863, une autre rébellion a lieu. Les répressions sont assouplies, mais les livres, même en lituanien, doivent exclusivement être écrits en cyrillique. En réponse à cela, la littérature imprimée en caractères latins se développe illégalement. Sous le règne d'Alexandre III (à partir de 1881), le processus de russification et d'expansion de la religion orthodoxe s'amplifie. On assiste en Lituanie à une forte prise de conscience identitaire. Elle se traduit par un important essor de la langue nationale, de l'enseignement, de la presse, du folklore, des mouvements littéraires et intellectuels. En 1883 paraît le premier journal exclusivement en lituanien : *Aušra* (ou *Aurore*).

La révolution russe de 1905 ne restera pas sans répercussions sur le peuple lituanien, dont les tentatives d'autonomie se traduiront par des mouvements d'indépendance. Les autorités russes y répondront avec violence par des massacres de populations et des déportations massives en Sibérie.

Statue de l'ange d'Užupis, symbole de la République d'Užupis.

La Première Guerre mondiale

Au début de la guerre de 1914, même si l'idée nationaliste est très présente chez les Lituaniens, celle d'indépendance face à la Russie est moins affirmée et ils participent courageusement aux combats contre les troupes du Kaiser. Dès août 1915, les Allemands arrivent à Kaunas ; le mois suivant, ils sont à Vilnius. Ils ont bénéficié du retrait russe causé par la révolution bolchevique. En 1918, le traité de Brest-Litovsk consacre la nouvelle domination germanique sur la région. Mais la défaite du Reich est proche, et stimulé par les événements de Russie, le patriotisme se transforme en véritable projet sécessionniste. Soutenus par la communauté occidentale (soucieuse de créer un cordon sanitaire la protégeant des Soviétiques) et leur diaspora, les Lituaniens déclarent leur indépendance le 16 février 1918, en dépit de l'occupation allemande. Menacés d'invasion par les bolcheviques, attaqués par les Russes blancs et par les corps francs allemands restés sur leur territoire, la jeune armée nationale arrive à repousser l'ennemi et à affirmer sa liberté. En juillet 1920, l'indépendance de la Lituanie est effective et reconnue. Un traité de paix est signé avec Lénine à Moscou.

Victime une nouvelle fois des visées expansionnistes de son voisin, la Lituanie doit concéder Vilnius à la Pologne. Pendant cette courte période d'indépendance, la capitale sera transférée à Kaunas.

La courte période d'indépendance (1920-1939)

En 1923, la Lituanie récupère Memel qui devient Klaipėda, un important port de la Baltique. Exsangue au sortir de la guerre, la Lituanie entreprend la reconstruction économique. Des réformes agraires, qui redistribuent les terres aux paysans, sont engagées. L'industrie est rénovée et opère sa reconversion. La démocratie est restaurée. Mais encore fragile, elle est propice aux durcissements de l'exécutif et aux coups d'Etat. Un régime nationaliste et autoritaire est installé : en 1926, Antanas Smetona devient président. Malgré la crise de 1929, qui touche aussi la région, et des débuts difficiles, l'économie s'améliore grâce au dynamisme des citoyens motivés par le redressement de leur pays.Face aux menaces des puissances voisines, un projet d'entente baltique entre les trois pays voit le jour et un traité est signé en 1934. Une union qui ne saura mettre à l'abri la région confrontée aux visées hitlériennes et soviétiques.

La Seconde Guerre mondiale

En 1939, le IIIe Reich exige le rattachement à l'Allemagne de la ville de Klaipėda (Memel), sous administration lituanienne depuis le traité de Versailles. La Lituanie doit s'incliner face à la puissance hitlérienne. Recherchant à tout prix la neutralité dans le conflit qui s'annonce, le pacte de non-agression Molotov-Ribbentrop, signé entre l'U.R.S.S. et l'Allemagne, va marquer la fin de la souveraineté. Pour protéger son flanc oriental, le IIIe Reich abandonne, contre des concessions financières et territoriales, les Etats baltes à l'U.R.S.S ; Vilnius est également rendue à la Lituanie. Malgré les pactes d'assistance mutuelle signés avec Moscou et censés préserver son indépendance, la Lituanie est envahie par les troupes soviétiques et, dès août 1940, l'annexion pure et simple par l'U.R.S.S. est engagée. S'ensuivent la dissolution du gouvernement, les déportations, les exécutions et une soviétisation systématique de la région. En 1941, l'entrée en guerre du IIIe Reich contre l'U.R.S.S. provoque l'arrivée des armées allemandes dès le mois de juin. Ayant chassé les Soviétiques, les Allemands sont considérés à certains égards comme des libérateurs, sans pour autant que les Baltes soient pronazis. La région baltique ajoutée à la Biélorussie devient alors l'Ostland, administré par le Reich, et la répression s'abat sur les populations. En réponse, un mouvement de résistance s'organise en liaison avec les alliés. En Lituanie, les nazis n'ont jamais trouvé de militaires à engager dans leur armée et ont été incapables de recruter une unité SS locale. Seule une très petite minorité a collaboré avec l'ennemi. Mais les nazis ont réussi, malgré tout, à exterminer l'une des communautés juives les plus importantes d'Europe : 200 000 juifs lituaniens seront éliminés dans les camps de concentration nazis à Kaunas, Panerai et Alytus, principalement.

La soviétisation

Dès l'automne 1944, la défaite allemande est suivie du retour de l'Armée rouge sur le territoire et de sa reprise en main par le pouvoir soviétique.

Maisons en bois Palanga.

Hôtel de ville de Kaunas sur la place Rotušės.

La Lituanie devient une république de l'U.R.S.S. à part entière. Une soviétisation massive et violente est engagée : persécutions religieuses, déportation des opposants, destructions (dont le bombardement de Königsberg qui deviendra par la suite Kaliningrad), installation de nombreux colons russes dans le domaine économique, politique, militaire et culturel. Une partie de l'élite réussit à émigrer vers l'ouest dès 1944. De 1945 à 1952, 350 000 personnes seront déportées en Sibérie (les chiffres officiels n'en comptent que 120 000 !).

La marche vers l'indépendance

Ainsi, les Lituaniens vont vivre au rythme forcé de l'occupation soviétique pendant près de 50 ans, ce qui n'entamera pas le sentiment national. Dès les premières années de domination, un groupe armé va entrer en résistance contre le pouvoir soviétique. Persuadés que les alliés viendront les libérer, comme ils ont libéré la France, les « Frères de la forêt » continuent la lutte en se cachant dans les bois. Hélas, personne ne viendra, car la Lituanie fait partie intégrante du territoire de la Russie au regard des accords internationaux. Ce mouvement sera réprimé et écrasé au début des années 1950. C'est la collectivisation, l'idéologie communiste forcée, la répression... L'église catholique maintient pourtant la lutte. Grâce à ses *Chroniques de l'église catholique en Lituanie*, elle informe les pays occidentaux des activités des Soviétiques. En 1972, le jeune étudiant lituanien Romas Kalanta s'immole par le feu à 19 ans pour alerter l'Occident de la situation de son pays. Les émeutes qui s'ensuivent sont violemment réprimées. En 1975, une mutinerie de marins est noyée dans le sang. Des pétitions contre les persécutions religieuses se font plus nombreuses. La perestroïka engagée par Gorbatchev va profiter aux Lituaniens. Cette période sera marquée par l'agitation et les manifestations nationalistes. Les revendications portent sur la dénonciation de la russification forcée, sur la défense de la langue nationale, sur les problèmes écologiques, sur la préservation du patrimoine culturel.

Dès 1986, les manifestations nationalistes contre le pouvoir soviétique s'amplifient (mouvement Sąjūdis). En 1988, une manifestation a lieu à Vilnius contre le pacte Molotov-Ribbentrop et une autre contre la construction d'un troisième réacteur à Ignalina.

Dans le même temps, des fronts prosoviétiques (formés par les populations russophones) s'organisent dans les grandes villes (le mouvement Edinstvo). Mais les Russes du pays vont en grande partie approuver la marche vers l'indépendance. Même les partis communistes locaux rejoignent les Fronts populaires. Leur « révolution chantante » (nommée ainsi du fait de la grande tradition du chant dans les Pays baltes, où les manifestations pacifiques s'accompagnent de chansons) ne peut plus faire marche arrière.

Le 23 août 1989, une chaîne humaine de près de 2 millions de personnes et reliant Vilnius à Tallinn (560 km) est formée en commémoration du pacte germano-soviétique. En mars 1990, les événements s'accélèrent, la Lituanie déclare, sous l'égide du mouvement Sąjūdis, son indépendance. Le nouveau président Lansbergis, musicien de profession et qui n'a jamais adhéré au Parti communiste, incarne le renouveau de l'idée nationale. Les puissances occidentales, ne voulant pas compromettre le processus de dégel gorbatchévien, soutiennent tacitement ce retour à la liberté. C'est le premier pays à défier Moscou. Le Kremlin refuse de reconnaître cette indépendance et la réaction ne se fait pas attendre : embargo énergétique et débarquement des troupes soviétiques. En janvier 1991, alors que le monde entier se tourne vers la guerre du Golfe, les Bérets noirs (forces spéciales du ministère de l'Intérieur de l'U.R.S.S.) prennent d'assaut la tour de Télévision de Vilnius, tuent quatorze personnes non armées, et font de nombreux blessés. A la frontière lituanienne, ce sont sept fonctionnaires du ministère de l'Intérieur qui sont assassinés. Mais le pouvoir soviétique ne peut plus rien contre la marche de l'histoire et, le 17 septembre 1991, l'indépendance est officiellement reconnue par Boris Eltsine et la communauté internationale.

La seconde indépendance

Après 50 ans d'oppression, le pays renaît et l'économie s'ouvre aux investisseurs privés. En octobre 1991, un système basé sur le modèle français, avec la séparation du président et de la Seimas (Parlement), est adopté par référendum. En mai 1992, la Lituanie entre dans le Conseil de l'Europe ; en juin, le litas est réintroduit. Fin août, les derniers soldats russes quittent définitivement le territoire et le pape Jean-Paul II rend visite au pays. En 1993, Algirdas Mykolas Brazauskas devient le premier président de la seconde indépendance.

L'entrée dans l'Europe

En cours d'écriture depuis 1992, une nouvelle étape de l'histoire du pays a été franchie en mai 2004. L'entrée dans l'Union européenne est un pas vers l'accès à un niveau de vie occidental, challenge de ce début du XXIe siècle. L'élargissement de l'Union européenne de quinze à vingt-cinq membres est une étape historique. La Lituanie a intégré l'Europe avec neuf autres pays d'Europe centrale et orientale (PECO) : Estonie, Lettonie, Pologne, République tchèque, Slovénie, Slovaquie, Hongrie, Malte et Chypre. Afin d'aboutir à une intégration totale dans l'U.E., un objectif reste à atteindre : le passage à l'euro des dix nouveaux adhérents. La Lituanie souhaitait ce passage au 1er janvier 2007, sa demande a été rejetée et reportée en 2012, mais la crise financière de 2008 a fait s'envoler toute échéance. En 2009, la Lituanie fêtait ses 1 000 ans et Vilnius était capitale européenne de la Culture. Le pays tout entier s'est reconstruit et rénové. La crise de 2011 a à nouveau repoussé l'entrée de la Lituanie dans la zone euro, dans une période de doute quant à la faisabilité de cette intégration monétaire alors que les pays de la zone tentent de sauver leur monnaie.

Population et mode de vie

Population

La Lituanie, le plus peuplé des Etats baltes, compte 3 349 872 habitants. Pays essentiellement rural avant la Seconde Guerre mondiale (plus des deux tiers en moyenne), la population rurale ne représente plus qu'un tiers de la population totale.

Bien avant l'annexion par l'U.R.S.S., lorsque le pays était intégré à la Russie tsariste, il comptait déjà des russophones dans sa composante nationale. Mais après la mainmise soviétique et la volonté de Staline de peupler la région de colons et de militaires, les Russes y affluèrent plus nombreux. Suivirent ensuite les déportations en masse vers la Sibérie (environ 350 000 personnes). On dit que dans chaque famille lituanienne, un membre au moins a été déporté.

Aujourd'hui, même si certains ont quitté la région au moment du retrait des troupes de l'ex-U.R.S.S., la communauté russe fait toujours partie de la population. En Lituanie, les Russes ne représentent que 6,3 % de la population et semblent bien intégrés. En raison de son passé commun avec son voisin, la Lituanie compte aussi 6,7 % de Polonais. Le reste de la population est composé de Biélorusses, d'Ukrainiens et des minorités tatare et karaïte.

Au niveau démographique, on assiste aujourd'hui à une diminution régulière de la population qui s'explique par la situation du marché du travail et la faible natalité. Depuis quelques années, la Lituanie doit faire face à une forte émigration de sa population, ce qui explique la baisse significative de la population, comme celle du taux de chômage.

Travaux des champs dans la campagne lituanienne.

Langues

Le lituanien

Alors que l'estonien et le finlandais appartiennent à un groupe linguistique nommé ouralique (ou finno-ougrien), le lituanien est une langue indo-européenne du groupe balto-slave. Cette langue est assez proche du letton (ou lette) et du vieux prussien, une langue éteinte depuis le XVIIe siècle. Le groupe des langues baltes aurait divergé il y a environ 3 500 ans, selon Gray et Atkinson (*Nature*, 2003), des langues du groupe slave (incluant slovène, macédonien, bulgare, serbo-croate, russe, polonais, slovaque et tchèque). Le groupe balto-slave pourrait s'être séparé des groupes celtique, italique et germanique depuis environ 6 500 ans. Il est également possible que les langues baltes soient légèrement antérieures aux langues slaves, puisque la toponymie indique des noms de lieux d'origine balte, de Berlin à Moscou, dans cette grande plaine de l'Europe du Nord, incluant la Russie centrale. Dans ses formes grammaticales, le lituanien serait aussi ancien que le sanscrit. Par exemple, dieu se dit *dievas* en lituanien, *devas* en sanscrit, et *deus* en latin. D'ailleurs, Prosper Mérimée précise : « en Lituanie, on y parle le sanscrit presque pur ».

Le russe

Pour un touriste étranger qui ne parle pas un mot de lituanien, la pratique du russe pourra faciliter les choses puisque tout le monde le parlait. Aujourd'hui, le russe se parle avec les anciens, car les plus jeunes délaissent peu à peu la langue de l'ancien occupant. Il faut savoir que, depuis l'indépendance, l'ancienne langue officielle est plutôt mal vue. Il sera donc préférable d'utiliser les premiers mots de base que vous aurez appris dans le lexique : les Lituaniens y seront très sensibles.

Visage de Lituanie.

Ville de Kaunas.

Village de la campagne lituanienne.

Le russe est désormais abandonné au profit de l'anglais qui est devenu la langue des affaires. La majorité des jeunes le parlent couramment. Dans les infrastructures touristiques, vous trouverez toujours quelqu'un qui parle anglais.

Vie sociale

Comparés aux Latins expansifs et agités, les Lituaniens apparaissent plutôt calmes, discrets, réservés et modestes. En outre, les conditions difficiles et l'univers contraignant dans lesquels ils ont évolué semblent avoir amplifié ces traits de caractère. A ceux qui ne connaissent pas le pays, les habitants pourront paraître froids au premier abord comme les Nordiques. Mais une fois le contact noué et la glace rompue, les Lituaniens, avides de rencontrer des étrangers après un long enfermement, se montrent très ouverts, curieux de tout, aimables et prêts à rendre service. Au fil des conversations et des rencontres, vous vous ferez toujours de nouveaux amis qui vous en présenteront d'autres. Et l'amitié ici n'est pas chose superficielle ! Autre trait de caractère, le rapport quasi affectif qu'ils entretiennent tous (même les citadins) avec la nature. Les Lituaniens, qui ont été les derniers peuples païens à être christianisés en Europe, ont gardé de leur lointain passé des coutumes et traditions. Ainsi les fleurs, par exemple, accompagnent toutes les relations humaines (et l'on trouve des vendeurs de fleurs un peu partout car on s'en offre souvent). Pour les citadins, tous les prétextes sont bons pour aller en forêt ramasser des champignons ou des fraises, faire une partie de pêche, se promener ou aller se baigner dans les lacs quand la saison y est propice. Il existe également un très fort attachement à leur pays et au folklore, qui s'explique en grande partie par ce destin déchiré au cours de l'histoire et la volonté de l'U.R.S.S. de détruire toutes racines. Il faut également rappeler que les cinquante années d'occupation soviétique ont sclérosé, muselé et assombri l'esprit des Lituaniens. Des habitudes héritées du système passé restent présentes dans les mentalités, surtout chez les deux dernières générations, c'est-à-dire les 30-60 ans qui n'ont connu que cette période de l'histoire de leur pays, et même si tous cherchent à oublier ce trop long épisode, des années seront encore nécessaires pour que les traces disparaissent. L'indépendance est récente et l'avenir appartient désormais surtout aux plus jeunes générations. Toutefois, depuis quelques années déjà, les gens semblent avoir retrouvé le sourire et l'envie de s'amuser, de sortir... Car, même si les conditions économiques sont loin d'être satisfaisantes pour tous (il y a les nombreux laissés-pour-compte de l'indépendance), l'atmosphère pesante et pessimiste de l'époque soviétique a disparu.

Mœurs et faits de société

Place de la femme

L'homme occidental assimile trop souvent la femme lituanienne à une espèce de poupée-mannequin russe au corps parfait et aux mœurs légères.

Église Saint-Constantin-et-Saint-Michel de Vilnius.

S'il est vrai que la proportion de très belles femmes y est supérieure à celle de nombreux pays (et les agences internationales de mannequins l'ont bien compris) et que le lien de couple est parfois bien difficile à comprendre pour un Occidental, la femme est souvent le véritable « homme fort » de la nation, de la famille ou du couple. La tradition est matriarcale et la femme y dispose d'un degré de liberté et de choix bien supérieur à celui de la tradition latine. Les femmes si élégantes et joliment mises que vous rencontrerez en discothèque le samedi soir seront peut-être le lundi matin chauffeur de bus, peintre en bâtiment, chef d'entreprise, mafieuse ou politicienne (pour citer quelques professions où les femmes réussissent souvent dans ce pays).

Orgueil

Grands militaires et fins diplomates, ils firent de la Lituanie du XVe siècle un empire s'étendant jusqu'à la mer Noire ; elle a inclus de grandes régions de l'Ukraine actuelle, de la Biélorussie et de la Russie. Cette grande histoire mène quelques chefs lituaniens à agir singulièrement comme s'ils représentaient toujours une grande puissance.

Religion

Les Lituaniens, de forte tradition païenne, idolâtrant les forces de la nature, ont été les derniers peuples d'Europe à être christianisés de force, dès le XIVe siècle, par le grand-duc Jagellon et son épouse Edwige d'Anjou, la très catholique reine de Pologne. C'est l'Etat qui change de religion. Le peuple sera christianisé deux siècles plus tard. L'appartenance à l'Empire tsariste y a apporté la religion orthodoxe, déjà implantée en Lituanie depuis le XIVe siècle à la suite de son rapprochement avec Byzance. Il faut souligner également la présence importante de la religion juive en Lituanie, Vilnius était appelée la « Jérusalem du Nord » jusqu'à la Seconde Guerre mondiale. Après l'extermination de la population juive par les nazis (200 000 personnes), elle reprend un peu de son influence depuis l'indépendance.

La tolérance religieuse

Malgré l'importante diversité des religions représentées (il suffit pour s'en convaincre de constater le nombre incroyable d'églises qui dominent Vilnius), il convient de souligner une grande tolérance religieuse, dont témoigne le partage fréquent des lieux de culte entre les différentes confessions. Enfin, le paganisme et la croyance dans les forces de la nature sont toujours très présents dans les mentalités, comme le prouve chaque année, au mois de juin, la célébration très suivie des feux de la Saint-Jean.

La religion sous le régime soviétique

Le régime soviétique avait condamné la population à l'athéisme forcé et tout ce qui avait rapport à la religion avait été banni de la société : les prêtres étaient déportés ou persécutés, les biens de l'Eglise nationalisés, les lieux de culte fermés et transformés en musées, en salles de concerts, en maisons de la culture ou en planétariums...

Le renouveau religieux de l'indépendance

Dès la fin de l'U.R.S.S., la population a pu reprendre au grand jour ses pratiques religieuses, fait important dans ce mouvement d'indépendance. Les églises, rouvertes, ont été peu à peu restaurées, l'enseignement religieux s'est propagé de nouveau, la presse s'est diversifiée, des associations se sont formées, et des prêtres, voire des évangélisateurs, sont apparus à la télévision. L'indépendance s'est enfin accompagnée du développement de nouvelles congrégations jusqu'alors interdites (baptistes évangélistes, Eglise adventiste du Septième Jour, pentecôtistes, témoins de Jéhova) et de l'arrivée des sectes (Krishna, Moon). Cinquante années de domination soviétique ont engendré un très fort sentiment religieux. Pour faire face à la misère arrivée pour certains avec l'indépendance, nombreuses sont les églises à avoir été pillées. Aujourd'hui, bon nombre d'entre elles ne sont ouvertes que pour les offices.

La spécificité lituanienne

La Lituanie est sûrement le plus religieux des pays baltes. Les Lituaniens étaient encore païens jusqu'au XIVe siècle, quand ils adoraient Perkūnas, le dieu du Tonnerre. Ensuite, ils devinrent des catholiques loyaux, mais beaucoup parlent avec une teinte de regret de la perte de leurs rituels païens. Les catholiques y sont majoritaires (80 %) comme chez sa voisine la Pologne. L'Eglise orthodoxe y est représentée, de même que le sont les luthériens, les évangélistes, les baptistes, l'islam et le judaïsme. L'Eglise, en Lituanie, est séparée de l'Etat et les adeptes de toutes les religions y sont égaux devant la loi. Depuis l'indépendance et afin de refaire de Vilnius un des centres religieux importants d'Europe, les Eglises (catholique en particulier) ont bénéficié de nombreux subsides. Symbole de cette renaissance, le voyage officiel que le pape Jean-Paul II a fait en Lituanie, en 1993.

Pourtant, jusqu'à leur christianisation tardive, les Lituaniens, comme tous les peuples baltes, vénéraient les forces de la nature. Autour de Dievas, le dieu père, les divinités étaient nombreuses, représentant chaque élément et phénomène naturel. La plus populaire de ces figures est probablement Perkūnas, le dieu du Tonnerre, encore célébré aujourd'hui par la présence de totems. Les Lituaniens vénéraient aussi le feu (la pratique de la crémation était courante).

Église Sainte-Catherine de Vilnius.

Statue de l'œuf, à Vilnius.

Arts et culture

Malgré la censure pratiquée par le régime soviétique, la culture nationale a toujours été très présente dans la société, servant de refuge aux populations. Comme on ne pouvait ni sortir, ni voyager, ni s'exprimer, on se cultivait ! Le turbulent passé du pays a enrichi le domaine culturel d'influences étrangères : le romantisme allemand, le baroque, l'Art nouveau. L'université de Vilnius a été fondée en 1579 par les jésuites. Au moment du renouveau national et identitaire de la fin du XIXe siècle, la culture, bafouée et occultée sous la domination de la Russie tsariste, a repris du poil de la bête et a servi de ferment aux mouvements d'indépendance. Une situation similaire a eu lieu au cours des années 1980, avant la chute finale de l'U.R.S.S. Les intellectuels et les artistes se sont souvent trouvés à la tête de ces mouvements et se sont même essayés, dans un premier temps, à l'exercice du pouvoir politique : Vytautas Landsbergis, professeur de musicologie et pianiste, a pris la direction de l'Etat lituanien en 1990. Depuis la fin de l'U.R.S.S. toutefois, l'activité culturelle a perdu de sa rage (teintée de tristesse et de mélancolie), de son énergie et d'une certaine imagination stimulées jadis par les contraintes. Les thèmes ont changé et la production culturelle en général devient peut-être plus « positive ». Si l'argent manque toujours cruellement pour soutenir la création qui n'est pas la priorité des gouvernements, les activités culturelles « passives » se sont multipliées, comme en témoignent la prolifération des galeries d'art ou l'ouverture de musées.

Cinéma

Avant 1990, le cinéma lituanien était très contrôlé par les Soviétiques et donc limité par la censure mais aussi par les moyens techniques et financiers. Il n'existait que le Lithuanian Film Studio, une entreprise d'Etat. A l'indépendance, le cinéma a découvert l'économie de marché et ses multiples possibilités. L'unique moyen de fabriquer un film, alors que le pays était complètement dévasté, était le financement privé. En 18 ans d'indépendance, quarante entreprises de production de films ont vu le jour en plus du Lituanian Film Studio. L'entreprise cinématographique du long ou du court-métrage comme de l'animation est en pleine ébullition. Ouverte sur l'Est comme sur l'Ouest, la Lituanie est maintenant invitée à participer aux festivals de Cannes, de Berlin et de Venise.

Littérature

- **Romanciers et poètes actuels :** Ugnė Karvelis, Juozas Aputis, Ričardas Gavelis, Sigitas Geda, Justinas Marcinkeviãius et Antanas A. Jonynas.

Musique

La Lituanie est connue pour son jazz (le saxophoniste Petras Vyšniauskas en est une figure bien connue). De nombreuses formations se produisent dans les bars de Vilnius, Kaunas ou Klaipėda.

Grands noms de la culture lituanienne

*▸ **M.-K. Čiurlionis (1875-1911).** Illustre peintre et musicien lituanien dont les compositions romantiques et symboliques sont empreintes d'un certain mysticisme. Le musée des beaux-arts Čiurlionis, fondé en 1925, rassemble à Kaunas des toiles de Čiurlionis et d'autres peintres lituaniens. Des concerts de ce même artiste sont organisés au musée de Druskininkai.*

*▸ **Romain Gary (Kacew) (1914-1980).** L'auteur est né le 8 décembre 1914 à Vilnius de parents comédiens. Après la guerre, sa mère quitte la Lituanie pour la France qu'il va servir en combattant dans les Forces Françaises Libres du général de Gaulle durant le deuxième conflit. Diplomate et écrivain de talent, Romain Gary se suicide le 2 décembre 1980 à Paris.*

*▸ **Père Maironis (1862-1932).** Maironis est une figure emblématique de la poésie lituanienne. Son nom couvre toute une époque de la culture littéraire du pays. Au tournant des XIXe et XXe siècles, l'œuvre de Maironis est à l'origine d'une école poétique, avec ses thèmes spécifiques et ses propres formes de versification dont la portée est d'une importance majeure pour l'évolution de la poésie lituanienne. Ses poèmes sont profondément ancrés dans la conscience nationale et appartiennent aujourd'hui encore au patrimoine culturel de la Lituanie. Maironis ne fut toutefois pas seulement un grand poète, mais également un dramaturge, un savant, un enseignant, un historien, un publiciste, un théologien et le recteur du séminaire catholique de Kaunas. Il s'est illustré avec le nouvelliste Tumas-Valžgantas dans son combat contre le tsarisme.*

*▸ **Adam Mickiewicz (1798-1855).** Le plus grand poète et écrivain polono-lituanien-biélorusse.*

*▸ **Oscar Milosz (1877-1939).** Poète et diplomate franco-lituanien.*

*▸ **Emmanuel Levinas (1906-1995).** Philosophe français d'origine lituanienne, né à Kaunas.*

Mais le pays est aussi bien représenté dans le rock, avec, par exemple, le groupe BIX, idole des jeunes, et qui a sa propre boîte dans Vilnius. Un peu plus âgé, le Montand ou l'Aznavour lituanien s'appelle Povilaitis. Enfin, le musicien classique le plus célèbre est sans doute Čiurlionis (1875-1911). La musique américano-occidentale est très écoutée en Lituanie. La propagation des modes s'y fait désormais aussi vite qu'en Amérique ou que dans les autres pays d'Europe. Quant aux artistes français, on apprécie ici Patricia Kaas ainsi que tous les anciens de la chanson française (Dassin, Montand...).

Poupées russes.

Traditions

Le folklore est très ancré dans les traditions païennes du Moyen Age, antérieures à la conquête chrétienne comme le prouvent chaque année encore les célébrations des feux de la Saint-Jean (solstice d'été). Situé au cœur même de la culture, il a été l'un des facteurs principaux du renouveau national et identitaire au moment de l'indépendance, le lieu de l'expression de la résistance. Le chant (choral notamment) tient une place prépondérante dans le folklore. N'a-t-on pas donné le nom de « révolution chantante » aux divers mouvements d'indépendance à la fin des années 1980 ? Ces chants populaires traditionnels sont appelés les *dainos* en Lituanie. De nombreux festivals, suivis par des milliers de personnes, ont lieu chaque année. Très riche également, l'art folklorique s'exprime notamment dans la sculpture sur bois, que vous rencontrerez sous forme d'objets-souvenirs sur les étals dans les rues ou encore sous forme de totems (symbolisant les divinités païennes) dans les campagnes. Les instruments de musique folklorique les plus courants sont la flûte, les bois de tout genre, anches, sifflets et autres cors, et, surtout, le plus caractéristique de la région, « l'arbre chantant » (*kanklės* en lituanien), une sorte de cithare de vingt-cinq à trente-trois cordes. Pour la petite histoire, l'arbre qui sert à sa fabrication doit être coupé à la mort d'une personne du village... L'accordéon, enfin, tient aussi une place importante dans la musique folklorique balte.

- ***Du lin*** *: linge de maison et vêtement de grande qualité.*
- ***De l'ambre*** *de la Baltique.*
- ***De la bière.***
- ***De la vodka.***
- ***Des poupées*** *en costumes traditionnels.*
- ***Des souvenirs*** *en bois.*

Festivités

Février

■ FÊTE NATIONALE DE LITUANIE
Le 14 février.

Mars

■ CONCOURS INTERNATIONAL DE CHANT « LE ROSSIGNOL D'AMBRE »
En mars. Organisé sous l'égide du ministère russe de la Culture ; événement très populaire.

■ FESTIVAL DE JAZZ
BIRŠTONAS – Tous les 2 ans, la ville de Birštonas accueille le plus ancien festival de jazz de Lituanie, le dernier week-end de mars.

■ FOIRE ARTISANALE DE VILNIUS
VILNIUS – *Début mars.*

Avril

■ FESTIVAL INTERNATIONAL DE MUSIQUE RELIGIEUSE À ŠIAULIAI
ŠIAULIAI – *1ère semaine d'avril.*

Mai

■ FESTIVAL DU THÉÂTRE LITUANIEN INTERNATIONAL À VILNIUS (LIFE)
VILNIUS – *2nde moitié de mai.*

■ FESTIVAL INTERNATIONAL DE FOLKLORE À VILNIUS (SKAMBA KANKLIAI)
VILNIUS – *Dernière semaine de mai.*

■ FESTIVAL INTERNATIONAL DE JAZZ À KAUNAS
KAUNAS – *2nde moitié de mai.*

Juillet

■ FESTIVAL DE LA MER À KLAIPEDA
KLAIPĖDA
Le dernier week-end du mois de juillet.

■ FESTIVAL DE MUSIQUE À VILNIUS
VILNIUS
Du 1er au 31 juillet.

■ FESTIVAL DE MUSIQUE DE CHAMBRE À PALANGA
PALANGA
www.filharmonija.lt
Fin juillet et début août.

■ FESTIVAL INTERNATIONAL DE MUSIQUE À VILNIUS
VILNIUS
www.kristupofestivaliai.lt
De début juillet à fin août.

■ FESTIVAL MÉDIÉVAL DE KERNAVÉ
KERNAVĖ
Les 5 et 6 juillet.

■ FESTIVAL MÉDIÉVAL DE TRAKAI
TRAKAI
Les 5 et 6 juillet.

Août

■ FESTIVAL DE ROCK (ROCKMARCH)
VILNIUS
Dernier week-end du mois d'août.

■ FESTIVAL INTERNATIONAL AU MONASTÈRE DE PAZAISLIS
KAUNAS
1re quinzaine d'août.

Cuisine lituanienne

*La cuisine de ce pays, froid en hiver et de caractère plutôt rural, est généralement calorique et roborative, à l'image de celle des Scandinaves. Bien que les traditions culinaires de la Lituanie connaissent certaines variantes régionales, leur base commune est constituée de viande de porc, de pommes de terre, de tomates, de concombres et de champignons. Entre autres spécialités lituaniennes, les poissons fumés ainsi que de nombreuses variétés de pain, dont le pain noir de seigle. Parfumé au cumin des prés (le carvi), c'est le plus délicieux de tous et il se suffit à lui-même (sans beurre ni sauce !). De nombreuses pâtisseries (*bandelė *ou* pyragėlis*) sont dispercées dans les rues de Vilnius. Les gourmands se régaleront des viennoiseries et des brioches au pavot ou à l'abricot. Il faut également noter que la cuisine a été l'objet de certaines influences, notamment orientales, venues des immigrés tatars en Lituanie.Depuis la fin de l'U.R.S.S., de nombreux restaurants de cuisines « exotiques » ont été ouverts par des locaux ou des étrangers qui donne un certain cosmopolitisme gastronomique inconnu auparavant (restaurants chinois, japonais, français, tex-mex, pizzerias, etc.).*

Produits caractéristiques

Poissons

L'essentiel des poissons pêchés par les flottes consiste en harengs, sprats, saumons et en poissons plats. On capture également des espèces d'eau douce en mer, les perches, les brèmes, les sandres et les brochets. Le hareng est l'une des spécialités les plus représentatives de la cuisine depuis les périodes antiques. Le hareng, comme d'autres produits traditionnels, est conservé soit par salaison, soit mariné ou bien fumé.

© ISTOCKPHOTO.COM/EGISS

Les cepelinai sont le plat national de la Lituanie.

© AUTHOR'S IM

Travaux des champs.

Autres spécialités lituaniennes

▶ **Parmi les spécialités lituaniennes, le plat national est sans aucun doute le *cepelinai* (Zeppelin),** qui ressemble à un petit ballon. C'est une boulette gélatineuse de purée de pommes de terre cuites à la vapeur, fourrée à la viande, au fromage ou aux champignons et servie avec de la crème. A goûter obligatoirement !

▶ **Les *koldūnai*** sont des raviolis lituaniens.

▶ **Les *blynai*** sont de petites crêpes fourrées à la viande, au fromage ou à la banane, que l'on vend dans les rues.

▶ **Dans les restaurants,** vous seront souvent servis les incontournables *karbonadas* (viande de porc frite et panée), accompagnées de tomates, concombres et pommes de terre, ou les *kepsnys*, même chose, avec de la viande de bœuf.

▶ **La *šaltibarščiai*** (prononcer « shal-ti-bar-schyai ») est une soupe de betteraves et de concombres mélangés à de la crème. On la mange froide, avec des pommes de terre à la vapeur durant les mois d'été. Excellent !

▶ **Les *kepta duona*** sont des petits pains grillés à l'ail, servis en apéritif.

▶ **Les laitages,** comme le *varksė* et le *kéfir*, sortes de laits épais, proches de la crème, font partie de la cuisine lituanienne.

Habitudes alimentaires

Vilnius et les grandes villes disposent d'un grand nombre de restaurants aux spécialités culinaires du monde entier : chinoise, italienne (les Lituaniens adorent les pizzas), française, indienne... Les prix pratiqués sont raisonnables.

Même si la plupart des restaurants proposent une cuisine locale, les *valgykla* (ou cantine), subsistantes de la période soviétique, proposent toute la panoplie des plats traditionnels précédemment cités, que l'on peut manger sur le pouce à moindre coût.

Recettes

Šaltibarščiai

Tout le monde connaît cette exquise recette estivale. Cette soupe colorée, bien que copieuse, est très agréable les jours de grande chaleur.

Ingrédients (pour 4 à 6 personnes) : 1,5 l de lait fermenté (à 7 % de matière grasse), 500 g de betteraves rouges râpées, 1 concombre haché, 3 petits oignons frais hachés, aneth, 1 œuf dur par bol, pommes de terre cuites à la vapeur, 2 cuillérées de crème fraîche par bol.

Gateaux de pain d'épice au festival de Kaunas.

Préparation : mixez le lait fermenté, les betteraves, les concombres et les oignons jusqu'à l'obtention d'une soupe épaisse. Au moment de servir, ajoutez la crème fraîche, l'œuf coupé en quartier et une pincée d'aneth, dans chaque bol. Présentez les pommes de terre, chaudes, à part.

Šaltibarščiai, la célèbre soupe de betteraves lituanienne.

Enfants du pays

Valdas Adamkus (1926)

Valdas Adamkus fut le troisième président lituanien depuis le retour à l'indépendance. Lituanien vivant aux Etats-Unis depuis 48 ans, Adamkus, qui occupait aux Etats-Unis un poste important dans l'administration, a dû renoncer à la citoyenneté américaine. Parmi les promesses sur lesquelles était basée sa campagne figuraient celles de dynamiser l'économie et de mettre un point final à l'époque de transition. Il fut président de 1998 à 2003 puis de 2004 à 2009 où il quitta ses fonctions en juillet.

Vytautas Landsbergis (1932)

Ce politicien était à l'origine professeur de musique et pianiste. Père de l'indépendance, en 1990, avec le mouvement Sąjūdis, il a fondé depuis un autre parti (conservateur) ; il fut président du Parlement. Actuellement, il est député à Bruxelles.

Arvydas Macijauskas (1985)

Joueur de basket arrivé de Neptunas Klaipėda au Lietuvos Rytas à l'âge de 19 ans en 1999, Macijauskas est aussitôt devenu le chouchou du public de Vilnius grâce à sa forte personnalité jusqu'en 2003. Il signe alors en Espagne, au Tau Vitoriaet, emmène son club à la victoire de la coupe d'Espagne en 2004. Il part alors pour la NBA pendant 1 an où il reste le plus souvent sur le banc. En 2006, il signe un contrat de 4 ans avec le club Olympiakos Le Pirée en Grèce. Il est aujourd'hui sans club.

Šarūnas Marčiulionis (1964)

L'autre nom illustre du basket lituanien. Il fut l'un des premiers

Folklore lituanien.

joueurs européens à évoluer en NBA aux Etats-Unis. Après sa carrière de basketteur, il reste dans le même univers en devenant président de la Ligue lituanienne de basket-ball en 1993 et le fondateur de la Ligue Nord-Européenne de Basket-ball en 1999.

Czeslaw Milosz (1911)

Poète, romancier, essayiste et traducteur polonais. Il est né plus précisément en Lituanie alors que ce pays était sous domination russe, puis a été naturalisé américain. Sans doute le plus important écrivain polono-lituanien vivant ; il a aussi été présenté, par le poète russe Joseph Brodsky, comme « l'un des plus grands poètes de notre temps, peut-être le plus grand ». Il a d'ailleurs été lauréat du prix Nobel de littérature en 1980 grâce à son livre *La Pensée captive*. Il est décédé en 2004.

Arvydas Sabonis (1964)

Champion de basket international de 2,20 m et premier joueur lituanien à avoir foulé (pendant près d'une décennie) les parquets de la NBA américaine. Il est l'acteur principal des victoires sur l'équipe soviétique du KGB en 1985, 1986 et 1987. Il a joué jusqu'en 2005 avec la tunique verte du Žalgiris Kaunas. Il reste dans le cœur des Lituaniens le géant « Sabas ».

Juozas Statkevičius (Josef Statkus)

Ce créateur de mode lituanien est connu de Paris à New York. On peut se rendre dans sa boutique à Vilnius.

Dunes près de Nida.

Vilnius et ses environs

Vilnius

Histoire

Vilnius aurait donc été fondée au Xe siècle. Des Vikings, qui remontaient le cours du Niémen, auraient été séduits par ce site entouré de collines. C'est en 1323 que le grand-duc Gediminas, qui s'est proclamé roi des Lituaniens, en fait sa capitale. Laquelle a été d'abord l'un des bastions de la lutte contre les chevaliers teutoniques, puis des Tatars de Crimée. C'est alors la grande période de l'Empire lituanien, qui atteint son apogée au XVe siècle, couvrant l'Ukraine et la Biélorussie de la Baltique à la mer Noire, avant de tomber sous l'influence de la Pologne à laquelle il est incorporé en 1569, à la suite du traité de Lublin. Vilnius acquiert son statut de capitale européenne, économique et intellectuelle au cours du XVIe siècle, l'aristocratie polonaise y exerçant une influence croissante.En 1579, les jésuites y ouvrent une université qui reste, à ce jour, l'une des plus anciennes institutions d'enseignement supérieur en Europe.En 1795, au dernier partage de la Pologne, Vilnius tombe entre les mains de la Russie tsariste. La russification remplace alors la polonisation ; le style orthodoxe vient s'ajouter aux églises et monuments baroques du temps des jésuites.Au moment du renouveau national du début du siècle, la ville de Vilnius ne bénéficie pas très longtemps de l'indépendance de la Lituanie, déclarée en 1918, puisqu'elle est intégrée dès 1920 à la Pologne et qu'elle va en faire partie jusqu'à la Seconde Guerre mondiale ; la capitale lituanienne est alors transférée à Kaunas. De là naîtra cette rivalité entre les deux villes, encore d'actualité.A partir de 1941, Vilnius est occupée par les Allemands ; le ghetto juif subit le triste sort que l'on connaît : plus de 250 000 juifs seront exterminés par les nazis.

Intégration à l'U.R.S.S. en 1944 : Lors de la reprise en main du pays par les Soviétiques, en 1944, la capitale lituanienne connaît une forte répression et des déportations. Des colons russes viennent s'y installer. L'U.R.S.S. marquera également de son empreinte l'architecture de la ville, comme dans ces ensembles de H.L.M. de l'ère stalinienne, puis khroutchévienne, qui dominent la rive droite de la Néris, ou encore ces bâtiments massifs de la principale artère de Vilnius (la rue Gediminas). A la fin des années 1980, Vilnius devient le centre de la contestation contre le pouvoir de Moscou, comme en témoignent les manifestations des indépendantistes de Sąjūdis ainsi que la fronde du Parlement de Vilnius. Les événements tragiques de janvier 1991, avec la prise de la tour de la Télévision par l'Armée rouge, confirmeront bien cette orientation.

Depuis l'indépendance : Depuis la fin de la domination soviétique et l'indépendance, on a vu réapparaître dans les rues de la vieille ville de nombreux chantiers de rénovation. Certains, il est vrai, ont commencé dans les années 1970. Toutefois, aujourd'hui, des aides étrangères s'ajoutent aux budgets nationaux pour la réalisation de ces travaux. Monuments, églises et bâtiments officiels (comme le palais de la Présidence) sont restaurés et les couleurs sur les façades remplacent désormais le gris maussade du passé. En 1994, la vieille ville a été classée au patrimoine mondial par l'Unesco et en 2009, elle était capitale culturelle de l'Europe (aux côté de Linz en Autriche) : un événement qui eut lieu pour la première fois dans l'un des tout jeunes Etats de l'Union européenne.

Aujourd'hui

C'est en se promenant à travers son labyrinthe de vieilles rues étroites et pavées, en découvrant ses cours intérieures arborées et ses parcs, en contemplant son panorama de tours et d'églises nombreuses, jusqu'aux anciennes fortifications et, au loin, la colline des Croix, que l'on se rend compte du charme envoûtant de Vilnius, de ce caractère exubérant qui la distingue des autres capitales baltes, plus sobres et plus austères.

Vilnius, ville aux multiples architectures : Tous les styles de l'architecture centre-européenne de tradition catholique s'y combinent en une étonnante harmonie où constructions gothiques, Renaissance, baroques ou classiques se mêlent aux synagogues, aux kenessa des Karaïtes ou aux églises orthodoxes de l'époque tsariste. Le gothique est représenté par le château et ses fortifications, construits entre le XIVe et le XVIe siècle, ou encore par l'église Sainte-Anne.

La légende de la fondation de Vilnius

D'après la légende, Gediminas, prince du Grand-Duché de Lituanie, se reposait après une partie de chasse sur une colline à la confluence des rivières Neris et Vilnia. Là, il rêva d'un loup de fer qui hurlait de façon déchirante à travers les forêts et les champs environnants, comme s'il s'agissait d'une centaine de loups. Réveillé par les rayons de soleil, Gediminas demanda alors à Lizdeyka, son prêtre païen, d'interpréter le rêve. Selon Lizdeyka, le loup symbolisait la forteresse et la ville que le prince aurait fondées sur cette colline, alors que son hurlement indiquait la gloire de la nouvelle ville qui se serait diffusée dans le monde entier. Ainsi, au début du XIVe siècle, Gediminas entreprit de bâtir Vilnius.

Vilnius
TAURAKALNIS
SENAMIESTIS
KASTONU GATVÉ
VASARIO
PROPEKTAS
GEDIMINO
PROPEKTAS
J. LELEVELIO
BEATRICÉS
A. JAKSTO
A. VIENUOLIO
VINIAUS
TILTO
GATVÉ
ZYGIMANTU G.
ARSENALO
T. VRUBLEVSKIO
K. SKIPOS
K. Petrauskui
LR Vyriausybé
Sv. jurgio bazn.
Savivaldybés aiksté
Centrinis pastas
Zygimantu vaiku pol.
Raudonoji a kryziaus ligoniné
Muziejus
Lietuvos nacionalinis muziejus
Taikomosios dailés muziejus
Funikulierius
Gedimino kalnas
Aukstutinés pilies liekanos
Gedimino pilies bokstas
Akikatedra bazilika
Zemutinés pilies muziejus
Akikatedros varpiné
A. STULGINSKIO
A. SEMETONOS GATVÉ
PAMENKALNIO
TAURO GATVÉ
JOGAILOS
VILNIAUS
TOTORIU
LABDARIU
ODMINIU
Lietuvos dramos teatras
SVENTARAGIO
BARBORES RADVILAITÉS GATVÉ
STUOKOS GUCEVICIAUS
Sv. Kryziaus bazn.
Gelezinkelininku mok.
Radvilu rumai
Muziejus
Pylimo pol.
PYLIMO
LIELYKLOS
S. SKAPO GATVÉ
Vilniaus Universitetas
BERNARDINU
SITADARZIO
Sv. Onos bazn.
MAIRONIO GATVÉ
La Prezidentura
SV. MYKOLO
Sv. Mykolo bazn.
PILIÉS
K. KALINAUSKO GATVÉ
PALANGOS
BENEDIKTINIU
Sv. Ignoto bazn.
SV. IGNOTO GATVÉ
Sv. Jono bazn.
SV. JONO GATVÉ
LITERATU GATVÉ
UNIVERSITETO
Dievo gailestingumo bazn.
TEATRO GATVÉ
ISLANDIJOS
Sv. Kotrynos bazn.
KLAIPÉDOS
RUSU
MATONIO
BASANAVICIAUS
Evangeliku Reformaty bazn.
S. Néries gimnazija
Dominikonu bazn.
VILNIAUS GATVÉ
DOMINIKONU
STIKLIU
LATAKO
Skaisciausios Dievo Motinos cerkvé
Rusu dramos teatras
SVARCO
GAONO
ISGANYOJO
Lietuvos dailés muziejus
UZUPIO
GATVÉ
TRAKU GATVÉ
ZYDU GATVÉ
Vilniaus paveikslu gal.
DIDZIOJI
BOKSTO
MINDAUGO
Tiskeviciaus dvaro rumai
FRANCISKONU
Ev. Liuteronu bazn.
VOKIECIU GATVÉ
M. ANTOKOLSKIO
Post
SAVICIAUS
KEDAINIU
Franciskonu bazn.
Rotusés aiksté
Manijos Ramintojos
Mindaugo vid. mok.
VINGRIU
SV. MIKALOJAUS
LYDOS GATVÉ
Jézuitu gimnazija
Vilniaus rotusé
KUDRU GATVÉ
Aukst. Ekonomikos mok.
ZEMAITIJOS
ASMENOS
DYSNOS
Siuolaikinio meno centras
Sv. kazimiero bazn.
SV. KAZIMIERO GATVÉ
Naugarduko vid. mok.
ALGIRDO
AGUONU
SIAULIU
MESINIU
Vilniaus gynybinés sienos bastéja
LIGONINÉS
Didysis teatras
ETMONY
KARMELITU
SUBACIAUS GATVÉ
NAUGARDUKO
PLACIOJI GATVÉ
RODNINKU
Nacionaliné filharmonija
A. STRASDELIO
VU Matematikos ir Chemijos fak.
SALTINIU GATVÉ
KRUOPU
ARKLIU
VISU SVENTUJU
Visu Sventuju bazn.
AUSROS VARTU GATVÉ
Sv. Dvasios cerkvé
SV. DVASIOS
Sv. Trejybés cerkvé
Sv. Tarasés
Mickviciaus gimnazija
RAUGYKLAUS GATVÉ
AV. STEPONO GATVÉ
M. DAUKSOS GATVÉ
Senamiescio vid. mok.
GELIU
SODU GATVÉ
BAZILIJONU GATVÉ
Justice
LAPU GATVÉ
M. Marcinkeviciaus ligoniné
Naujininku seniunija
AUSROS VARTU
V. SOPENO
KAUNO
A. Vienuolio gimnazija
PELESOS GATVÉ
SEINU GATVÉ
STOTIES
GELEZINKELIO GATVÉ
LIEPKALNIO
TURGELIU GATVÉ
0
100 m
N
PUNSKO GATVÉ
MARIJAMPOLES GATVÉ
Stotis
P

Cathédrale orthodoxe de l'Assomption de Vilnius.

La courte période Renaissance a laissé à Vilnius quelques monuments importants, comme la porte Medininkų (Aušros) datant du XVIe siècle, l'église Saint-Michel, ou bien les cours intérieures de l'université. Le style baroque, qui domine dans la ville, est brillamment représenté par l'église Saints-Pierre-et-Paul, du XVIIe siècle, dont l'intérieur est orné de 2 000 statues. Le XVIIIe siècle a donné à Vilnius son hôtel de ville, sa cathédrale ou encore le manoir Verkiai.

Un carrefour culturel : De son passé multiculturel, et tragique par bien des aspects, Vilnius demeure habitée par diverses communautés : lituanienne, bien sûr, mais aussi polonaise, russe, biélorusse, juive, karaïte ou tatare. Caractéristiques de la capitale lituanienne, ces minorités se sont vu concéder depuis des siècles un espace distinct qui se manifeste à travers l'architecture, la toponymie ou les églises et les temples. Au hasard des rues, les nombreuses langues parlées dans la capitale se croisent et rappellent que Vilnius est vraiment un carrefour culturel. Si la Lituanie est un pays homogène, du point de vue de sa composition nationale, il n'en est pas de même de Vilnius où les Lituaniens de souche sont tout juste majoritaires, les Russes représentant 19 % de la population, les Polonais 18 %, les Biélorusses 5 %. Chacune des minorités présentes dans la capitale entretient des rapports spécifiques avec la majorité lituanienne.

Conséquence de l'histoire, des dominations étrangères successives, ces rapports peuvent être parfois quelque peu tendus. C'est le cas, par exemple, avec la minorité polonaise, particulièrement dans cette période récente de l'indépendance où les idées nationales prédominent.

Les Polonais, très présents à Vilnius du fait de leur passé commun avec la Lituanie, n'ont pas manqué d'exprimer un certain nombre de revendications à la fin de l'hégémonie de l'U.R.S.S : représentation au Parlement, volonté d'autonomie régionale... Les Russes subissent eux aussi les séquelles de leurs années d'occupation de la région, mais ils sont en général bien mieux intégrés dans la société lituanienne que chez les deux autres voisins baltes. Les Biélorusses, moins vindicatifs et installés de longue date à Vilnius, sont les mieux vus ; ils bénéficient des liens datant du Grand-Duché de Lituanie, quand celui-ci dominait la région bien au-delà de Minsk. Le chevalier lituanien est d'ailleurs également l'un des emblèmes de la Biélorussie.

Minorité tatare et karaïte : Les minorités tatare et karaïte, les plus faiblement représentées, font souvent la fierté de Vilnius. N'ayant jamais fait l'objet de discriminations au cours de l'histoire, que ce soit par les Lituaniens, les Polonais ou les Russes, leurs cultures furent respectées et protégées. Arrivées à Vilnius à la suite de campagnes militaires contre les Turcs, ces populations ont toujours été de fidèles servantes des armées lituaniennes.

Les Tatars sont de religion musulmane ; les Karaïtes appartiennent à une secte issue du judaïsme, et leur lieu de culte, la kenessa, est toujours présent à Vilnius (mais les Karaïtes habitent surtout la région de Trakai). Hauts en couleur, remarquables par leurs particularismes, vestimentaires notamment, ces anciens guerriers se plaignent parfois d'être considérés comme des animaux de foire par les touristes ou par des journalistes étrangers peu scrupuleux. On veillera donc à éviter ce travers et à aborder ces populations avec le respect qu'elles méritent.

Vieille ville et Užupis

La ville est fière de ses églises, il y en avait plus de 200 autrefois, aujourd'hui seule une quarantaine subsistent. La plupart furent reconsacrées à partir de 1989, après avoir connu de multiples affectations durant la période soviétique, transformées en dépôts de grain, en galeries et même en musées de l'athéisme. Sur le boulevard Vokiečių aux larges perspectives, l'église évangélique luthérienne est complètement invisible de la rue. Plus loin encore, à l'extrême ouest de la vieille ville, se dressent les églises baroques du Saint-Esprit (Aušros Vartų10) et de Sainte-Catherine (Vilniaus gatvė), ainsi que leurs monastères. En dehors de la vieille ville, sur Antakalnio au n° 1 (prendre le bus), l'église Saints-Pierre-et-Paul, construite au XVIIe sur l'ancien site païen de la déesse de l'amour, domine l'horizon. De style baroque, avec ses innombrables sculptures, elle mérite une visite. Autres lieux de culte : dans Basanavičiaus, l'église des Romanov construite en 1913, sanctuaire orthodoxe russe et, sur Liubarto (rive nord, proche du parc Vingis), la Kenessa, église du peuple karaïte de Lituanie.

La Jérusalem du Nord

Anéantie par les nazis, volontairement oubliée et effacée par les Soviétiques, la cité juive de Vilnius abritait, avant la Deuxième Guerre mondiale, l'une des plus importantes communautés d'Europe. Les « Litwaks », ces juifs ashkénazes de Lituanie, s'installèrent à partir du XIVe siècle à Vilnius, puis à Kaunas. La Lituanie était alors à son apogée, et sa capitale un centre commercial européen de premier plan. Surnommée le « Jérusalem du Nord », Vilnius (Vilnė en yiddish) devint également un lieu symbolique pour la communauté juive. La période allant de l'Union de Lublin en 1569 – qui a consacré la domination de la Pologne sur la Lituanie – à la domination russe (après 1795) était un âge d'or pour la communauté juive de Vilnius, qui prospérait et bénéficiait d'une large autonomie. L'ouverture à l'époque de nombreuses synagogues, yeshivot ou écoles hébraïques en témoigne. Au cours du XIXe siècle, Vilnius devint un important centre culturel pour les Litwaks de l'intelligentsia. En 1897, les juifs y représentaient près de 41,5 % de la population.

Du temps du célèbre Gaon de Vilnius, le leader religieux de la communauté juive de Lituanie, l'hébreu et le yiddish connaissaient un développement spectaculaire. Mais la communauté était aussi fortement représentée par le prolétariat imprégné des idées socialistes de cette fin de siècle. Le Bund (un parti rassemblant les juifs socialistes de Pologne, de Lituanie et de Russie) fut fondé à Vilnius en 1897.

Jusqu'à la Deuxième Guerre mondiale, la communauté juive se distingua dans les domaines scientifique et culturel. A la veille de la Shoah, elle représentait 250 000 personnes, soit 8 % de la population lituanienne. Mais l'Allemagne nazie, qui occupa la Lituanie à partir de 1941, anéantit la majeure partie de cette population : près de 200 000 personnes furent exterminées.

Aujourd'hui, on compte 5 000 à 6 000 juifs à Vilnius, et l'ancien Jérusalem du Nord n'est plus que l'ombre de lui-même. La ville est cependant restée un symbole pour la communauté juive ashkénaze.

Le cœur du quartier juif se trouvait dans les petites rues étroites du côté ouest de la place Rotušės, autour des rues Žydų (qui veut dire juif), Stikliu (voir la plaque murale dans la rue) et Gaono. Pendant l'occupation allemande, le ghetto juif était concentré au sud de Vokiečių, autour de Rudininkų gatvė. La majeure partie de la communauté a été décimée par les troupes d'Himmler dans le camp de Paneriai, à la sortie de Vilnius. On pourra visiter la synagogue, du XIXe siècle, sur Pylimo (l'ancienne, datant du XVIe siècle, avec sa célèbre bibliothèque qui se trouvait sur « Žydų gatvė », est devenue une école).

Le Centre culturel juif se trouve au Šaltinių 12 – www.jewish.lt

La synagogue chorale de Vilnius située rue Pylimo.

La constitution d'Užipis

1. L'Homme a le droit de vivre près de la petite rivière Vilnalé et la Vilnalé a le droit de couler près de l'homme.

2. L'Homme a droit à l'eau chaude, au chauffage durant les mois d'hiver et à un toit de tuiles.

3. L'Homme a le droit de mourir, mais ce n'est pas un devoir.

4. L'Homme a le droit de faire des erreurs.

5. L'Homme a le droit d'être unique.

6. L'Homme a le droit d'aimer.

7. L'Homme a le droit de ne pas être aimé, mais pas nécessairement.

8. L'Homme a le droit de n'être ni remarquable, ni célèbre.

9. L'Homme a le droit de paresser ou de ne rien faire du tout.

10. L'Homme a le droit d'aimer le chat et de le protéger.

11. L'Homme a le droit de prendre soin du chien jusqu'à ce que la mort les sépare.

12. Le chien a le droit d'être chien.

13. Le chat a le droit de ne pas aimer son maître mais doit le soutenir dans les moments difficiles.

14. L'Homme a le droit parfois de ne pas savoir qu'il a des devoirs.

15. L'Homme a le droit de douter, mais ce n'est pas obligé.

16. L'Homme a le droit d'être heureux.

17. L'Homme a le droit d'être malheureux.

18. L'Homme a le droit de se taire.

19. L'Homme a le droit de croire.

20. L'Homme n'a pas le droit d'être violent.

21. L'Homme a le droit d'apprécier sa propre petitesse et sa grandeur.

22. L'Homme n'a pas le droit d'avoir des vues sur l'éternité.

23. L'Homme a le droit de comprendre.

24. L'Homme a le droit de ne rien comprendre du tout.

25. L'Homme a le droit d'être d'une nationalité différente.

26. L'Homme a le droit de fêter ou de ne pas fêter son anniversaire.

27. L'Homme devrait se souvenir de son nom.

28. L'Homme peut partager ce qu'il possède.

29. L'Homme ne peut pas partager ce qu'il ne possède pas.

30. L'Homme a le droit d'avoir des frères, des sœurs et des parents.

31. L'Homme peut être indépendant.

32. L'Homme est responsable de sa liberté.

33. L'Homme a le droit de pleurer.

34. L'Homme a le droit d'être incompris.

35. L'Homme n'a pas le droit d'en rendre un autre coupable.

36. L'Homme a le droit d'être un individu.

37. L'Homme a le droit de n'avoir aucun droit.

38. L'Homme a le droit de ne pas avoir peur.

39. Ne conquiers pas.

40. Ne te protège pas.

41. N'abandonne jamais.

Le quartier d'Užupis se trouve à l'est de la vieille ville, après le pont qui traverse la rivière Vilnia. Užupis signifie d'ailleurs « de l'autre côté de la rivière ». Ce quartier, le plus vieux de Vilnius, avec ses maisons en bois et ses ruines, cultive un côté bohème. Alors que les loyers augmentaient dans la vieille ville, les jeunes artistes en marge de la société sont venus « squatter » Užupis. En 1998, a été « proclamée » la république d'Užupis et une constitution a vu le jour ; elle est affichée dans la rue Paupio (après Užupio Picerija), en lituanien, en anglais et en français. Chaque 1er avril, l'entrée dans Užupis est validée par un cachet apposé sur votre passeport. L'ange d'Užupis, à l'angle des rues Užupio, Malūnų et Paupio, a été créé grâce aux donations. En entrant dans Užupis, la plaque de la rue Užupio Polocko est en français. A savoir que l'association Montmartre-Pays baltes est à l'origine d'un jumelage entre ces deux quartiers pittoresques et artistiques que sont Montmartre et Užupis.

APPARTEMENT-MUSÉE D'ADAM MICKEWICZ (VILNIAUS UNIVERSITETO BIBLIOTEKOS ADOMOS MICKIEVIČIAUS MUZIEJUS)

Dans cet appartement vivait, en 1822, le grand poète Adam Mickiewicz. Les Lituaniens prétendent qu'il est lituanien. Les Polonais, eux, rétorquent qu'il a écrit en polonais et qu'il se référait dans ses écrits à la Lituanie en tant que province de la Pologne, enfin les Biélorusses réclament qu'il est né en Biélorussie et qu'il a écrit en biélorusse aussi.

CATHÉDRALE

Cathédrale de Vilnius

Construite en bois au XIIIe siècle, sur un ancien site païen honorant Perkūnas (le dieu du Tonnerre), la cathédrale trouva sa forme actuelle à l'époque du grand-duc Vytautas, au XVe siècle. A l'origine de style gothique, elle a été maintes fois restaurée. Son aile sud abrite la chapelle Saint-Casimir (protecteur du pays) sous laquelle reposent les restes des membres de la royauté et de la noblesse lituanienne. Pendant la période soviétique, la cathédrale était devenue une galerie de peinture. Depuis l'indépendance, le grand édifice blanc situé au centre de la ville a repris ses offices religieux quotidiens. A une centaine de mètres de la cathédrale, dans le long bâtiment de l'ancien arsenal, se trouve le Musée national. Un peu plus loin, à Arsenalo 3, on pourra visiter le musée des Arts décoratifs et appliqués (tapisseries, bijoux et céramiques).

CENTRE D'ART CONTEMPORAIN (ŠMC)

Il accueille des expositions temporaires d'art moderne (courts-métrages étrangers, peinture, sculpture, etc.).

ÉGLISE SAINTE-ANNE ET L'ENSEMBLE DES ÉGLISES DES BERNARDINS (ŠV. ONOS BAŽNYČIA IR BERNARDINŲ BAŽNYČIA)

Sur Maironio au n° 8, l'église Sainte-Anne, de style gothique, en brique rouge. Datant de la fin du XVe siècle et début du XVIe, c'est le monument le plus significatif du gothique flamboyant de Lituanie.

Les marchés de Vilnius

Visiter Vilnius, c'est aussi flâner sur les marchés de la ville et notamment au grand marché Gariunai, à 4 km à l'extérieur de la ville, sur la route de Trakai (prendre Savanorių prospektas ; des minibus partent le matin de la gare). L'un des plus grands bazars à ciel ouvert (120 ha) d'Europe centrale mérite une « visite ». Des vendeurs de toute la région baltique et même des anciennes républiques d'Asie soviétique viennent proposer leurs marchandises à des prix défiant toute concurrence : nourriture, vêtements, animaux, pièces détachées d'automobile, surplus de l'armée, musique, vidéo, électroménager... Tout se trouve. Ouvert dès l'aube jusqu'à midi, sauf le lundi. C'est le dimanche que le marché est le plus impressionnant.

Les marchés aux fleurs offrent une balade riche en couleurs : gėlių oazė, sur Basanavičiaus 42 (ouvert tous les jours) ; rotušės floratila, sur Didžioji 15 (tous les jours sauf le dimanche) ; gėlės studija, sur Mikalojaus 5 (fermé le dimanche). Où que vous alliez, n'oubliez pas d'offrir des fleurs (gėlės), c'est une grande tradition locale.

■ ***MARCHÉ AUX FLEURS***

Marché plutôt tourné vers l'artisanat : laines, bijoux, peintures, articles en bois sculpté, sculptures grotesques, etc. On y trouve également de l'ambre, mais sa pureté n'est pas garantie.

■ ***MARCHÉ HALĖ***

Le marché Halė, sous la grande halle, est le marché de la vieille ville. Il est d'abord consacré à la nourriture : fruits et légumes s'achètent ici à des prix bien en deçà de ceux affichés en supermarché. Des cigarettes de contrebande et des vêtements sont également sur les étals.

■ ***MARCHÉ KALVARIJŲ***

Ce marché de Šnipiškės propose de la nourriture, des vêtements et objets de toutes sortes. C'est le week-end que le marché est le plus intéressant.

Une légende raconte que Napoléon, séduit par l'église, aurait voulu la prendre et la transporter dans le creux de sa main pour la rapporter en France comme une petite pierre précieuse fragile.

▸ **Derrière, l'église Saints-François-et-Bernard,** édifiée à la fin du XVe siècle, forme l'un des plus grands édifices gothiques du pays. En y regardant de plus près, vous constaterez que l'église a été équipée de meurtrières et de tourelles. Cette transformation date du temps où l'église était intégrée dans le système défensif de la ville. Après des restaurations à la fin du XVIe, elle a été remaniée en style baroque, alors en vogue.

■ GALERIE DES TABLEAUX DE VILNIUS (LIETUVOS DAILĖS MUZIEJUS)

Ce musée d'art lituanien rassemble des peintures, des dessins et des sculptures de maîtres lituaniens du XVIe au XIXe siècle. On y organise des soirées culturelles et des concerts de musique classique.

HÔTEL DE VILLE (VILNIAUS ROTUŠĖ)

L'hôtel de ville prit son aspect classique actuel à la fin du XVIIIe siècle. Au XXe siècle, il abritait le musée des Beaux-Arts. Aujourd'hui c'est un bâtiment officiel qui accueille des manifestations culturelles diverses : concerts, spectacles, festivals, etc. Son fronton est orné par le blason de la ville de Vilnius : saint Christophe portant Jésus enfant sur ses épaules.

LITHUANIAN ARTISTS ASSOCIATION

Galerie des artistes de l'association des artistes de Lituanie. Expositions éclectiques.

MAISON DE M. K. ČIURLIONIS

Demeure de l'illustre peintre, musicien et compositeur de la fin du XIXe siècle, dont les compositions sont empreintes d'un certain mysticisme. On y voit le grand piano sur lequel il a composé plusieurs de ses œuvres. Des concerts de musique classique sont occasionnellement programmés dans la maison.

MAISON DES SIGNATURES (SIGNATARŲ NAMAI)W

Le 16 février 1916, la Lituanie déclare son indépendance et le document l'attestant a été signé dans cette maison. Dans le musée, on peut voir la pièce et le bureau où le document a été signé.

MUSÉE D'ARTILLERIE DE LA MURAILLE DÉFENSIVE (BASTĖJA)

Dans ce qui reste de la forteresse du XVIIe siècle, des équipements militaires, des armes et de l'artillerie. Le site offre un beau point de vue sur la vieille ville.

MUSÉE DE LA TOUR DE GEDIMINAS (GEDIMINOS PILIES BOKŠTAS)

Dans la tour Gediminas, un musée retrace l'histoire des châteaux de Vilnius. Du haut de la tour, un belvédère offre une magnifique vue de la ville.

MUSÉE DE L'HOLOCAUSTE

Le musée retrace l'histoire des juifs de Vilnius et leur tragique destin sous l'occupation nazie.

MUSÉE NATIONAL JUIF DU GAON (VALSTYBINIS VILNIAUS GAONO ŽIDŲ MUZIEJUS)

Le premier musée juif fut ouvert à Vilnius en 1913, mais il ferma à l'époque soviétique. Il a rouvert ses portes en 1989 et comprend quatre filiales, dont le Mémorial de Panierai.

- **L'exposition historique** (Plymo 4, ✆ +370 5 261 6253) retrace principalement l'histoire des juifs lituaniens dans la lutte contre le nazisme.
- **L'exposition sur l'Holocauste** concerne le patrimoine historique, matériel et spirituel juif, comprenant des objets traditionnels et contemporains de l'art juif, des documents et des objets liés à l'Holocauste.
- **Le centre de la Tolérance** (Naugarduko 10/2, ✆ +370 5 231 2357) accueille une exposition permanente sur la communauté et la culture juives. Il accueille des expositions temporaires sur des artistes juifs d'origine lituanienne. Le centre occupe le bâtiment rencontruit de l'ancien théâtre juif d'avant-guerre.

PALAIS DES ROIS

En 2009, date anniversaire et célébration du millénaire où le nom de la Lituanie fut mentionné pour la première fois, le palais des dirigeants lituaniens était reconstruit au pied de la colline du château de Gediminas. Il est le symbole de l'unité de la nation et de l'Etat. Mais, il n'a toujours pas ouvert. En attendant, on peut l'admirer de l'extérieur.

PALAIS PRÉSIDENTIEL (PREZIDENTO RŪMAI)

A l'opposé de l'entrée de l'université, sur la place Daukanto, des gardes en faction surveillent le palais présidentiel, restauré et inauguré en 1997. Depuis le XVIe siècle, c'était la résidence des évêques de Vilnius. Après l'occupation russe, à la fin du XVIIIe, le palais est devenu le siège du gouvernement russe. Napoléon y séjourna lors de son passage pendant la campagne de Russie. Chaque jour à 18h, en face du palais a lieu la cérémonie de la relève de la garde. La cérémonie de la levée du drapeau a lieu tous les dimanches à midi.

A quelques mètres de là, se dressent l'église Saint-Michel, de style Renaissance, et le musée de l'Architecture. Dans le prolongement de la rue Pilies, la rue Didžioji (prononcez « didjiou ») s'ouvre sur la place de l'ancien Hôtel-de-Ville, la place Rotušės (prononcez « rotoutchesse »), rénovée, aujourd'hui envahie par les enseignes des marques étrangères. A droite de l'hôtel de ville a été construit un centre d'art contemporain. A proximité, la plus vieille église de la ville, l'église baroque Saint-Casimir (Didžioji 34), bâtie par les jésuites au début du XVIIe siècle, a été convertie sous les tsars en église orthodoxe et transformée par les Soviétiques en musée de l'Athéisme !

PILIES

La rue Pilies est la rue la plus ancienne de la vieille ville. Mentionnée dans les sources historiques déjà en 1530, des nobles et des riches marchands y firent construire leur maison. La rue attire par sa diversité architecturale : on y trouve des maisons en style gothique, Renaissance et baroque. C'est un lieu de balade très aimé en été comme en hiver. De la rue Pilies s'ouvre une belle vue sur la tour de Gediminas.

Rue Pilies dans la vieille ville de Vilnius.

Beffroi sur la place de la cathédrale.

■ PLACE DE LA CATHÉDRALE

Toute visite de Vilnius part de la place de la Cathédrale (Arkikatedros Aikštė) qui sépare la vieille ville de la « nouvelle ». C'est ici, au confluent de la Neris et de la Vilnia, que commença la formation de la ville de Vilnius. Egalement lieu des rendez-vous galants, cette place était celle des marchés et des foires au XIXe siècle et devint le centre des rassemblements populaires au moment de l'indépendance. D'ailleurs, au pied du beffroi, se trouve au sol le « Stebuklas » qui signifie « miracle ». En 1989, sur cette dalle commença la Voie balte, une chaîne humaine de presque 600 km reliant Vilnius à Riga et Tallin qui a réveillé la lutte pour l'indépendance de l'U.R.S.S. On peut se mettre debout sur la plaque, exprimer un souhait et tourner trois fois en rond pour que le désir se réalise. Au bout de la place, une statue équestre du grand-duc Gediminas, fondateur de Vilnius, a été inaugurée en septembre 1996 (en novembre de la même année, les statues des saints lituaniens, mises de côté à l'époque soviétique, ont retrouvé leur place sur le toit de la cathédrale).

Construite en bois au XIIIe siècle, sur un ancien site païen honorant Perkūnas (le dieu du Tonnerre), la cathédrale trouva sa forme actuelle à l'époque du grand-duc Vytautas, au XVe siècle. A l'origine de style gothique, elle a été maintes fois restaurée. Son aile sud abrite la chapelle Saint-Casimir (protecteur du pays) sous laquelle reposent les restes des membres de la royauté et de la noblesse lituanienne. Pendant

Cathédrale de Vilnius, lieu de pèlerinage de tout le pays.

la période soviétique, la cathédrale était devenue une galerie de peinture. Depuis l'indépendance, le grand édifice blanc situé au centre de la ville a repris ses offices religieux quotidiens. A une centaine de mètres de la cathédrale, dans le long bâtiment de l'ancien arsenal, se trouve le Musée national. Un peu plus loin, à Arsenalo 3, on pourra visiter le musée des Arts décoratifs et appliqués (tapisseries, bijoux et céramiques).

Séparé de la cathédrale, le clocher rappelle le tracé de la douve qui entourait la place jusqu'au XIXe siècle et la destruction du château bas par les Russes. Il fait 57 m de haut. Au XVIIe siècle, une horloge y fut installée. Aujourd'hui, derrière la cathédrale, les vestiges du château et les excavations peuvent être visités.

Derrière la place de la Cathédrale (après la statue de Gediminas), un sentier pavé monte dans le parc vers le mont Gediminas (*kalnas*), base originelle de Vilnius (on peut également atteindre le mont Gediminas par un funiculaire partant de la cour intérieure du musée d'Ethnographie et d'Histoire, ouvert tous les jours sauf le lundi de 10h à 18, d'avril à octobre tous les jours de 10h à 19h, tarif : 3 Lt). Sur cette colline, Gediminas fit bâtir le château supérieur, mentionné pour la première fois dans les chroniques en 1323. Aujourd'hui une partie du château est restaurée et la tour occidentale, appelée tour de Gediminas et symbole de Vilnius, est la mieux conservée. Du haut de la tour, où flotte le drapeau lituanien, un magnifique panorama s'étend sur la ville : à l'extrême est se dresse la colline des Croix (d'après la légende, sept moines franciscains y furent crucifiés ; on peut y accéder par le Kalnų Park), au sud s'étend la vieille ville et, à l'ouest, l'avenue commerçante Gediminas s'enfonce dans les quartiers de la ville nouvelle, derrière les rives de la Neris, tandis qu'au loin se profilent les quartiers neufs datant de la période soviétique. A l'intérieur de la tour Gediminas, vestige du château haut de Vilnius, un petit musée et une maquette illustrent les origines de la ville.

Église Saint-Jean.

PORTE DE L'AURORE (AUŠROS VARTAI)

Au bout de la rue homonymique, la porte de l'Aurore est la seule qui reste des dix anciennes portes de l'enceinte de la vieille ville. Mentionnée pour la première fois en 1524, c'est un des symboles de Vilnius. Au XVIIe siècle, une chapelle en bois fut construite à côté de la porte, sur la gauche, pour abriter une image de la Vierge Marie qui, selon l'usage du temps, devait protéger la ville. Après un incendie, une chapelle en pierre fut érigée à sa place. L'aspect actuel de la chapelle est en style classique et résulte d'une reconstruction du XIXe siècle. Appelée également la Madone de Vilnius, l'icône miraculeuse de la Vierge Marie est un des exemples les plus remarquables de peinture Renaissance en Lituanie. elle est vénérée par les catholiques, les orthodoxes et les uniates. Avant d'arriver à la porte de l'Aurore, sur la gauche, on aperçoit le dôme de l'église orthodoxe de la Sainte-Trinité, qui abrite les corps de trois martyrs du XIVe siècle : saint Eustache, saint Antoine et saint Ivan.

■ UNIVERSITÉ DE VILNIUS (VILNIAUS UNIVERSITETAS)

La petite rue, Universiteto gatvė, donne accès aux bâtiments prestigieux de l'université de Vilnius fondée en 1579 par les jésuites au moment où le mouvement de la Réforme se répandait en Lituanie. Elle était l'un des plus grands centres de l'enseignement supérieur d'Europe Orientale jusqu'au XIXe siècle, époque où elle fut fermée par les Russes et rouverte en 1919, lors de la première indépendance de la Lituanie. L'ensemble de l'université se forma au cours de quelques siècles, c'est pourquoi on y trouve des exemples d'architecture gothique, Renaissance, baroque et classique. L'ensemble est magnifique, notamment ses treize cours intérieures riches en galéries et arcades. Fondée en 1570, la bibliothèque rassemble plus de 5 000 livres et manuscrits anciens, dont un exemplaire original du premier livre lituanien, le *Catéchisme* de Martynas Mažvydas.

► **L'église Saint-Jean** (1387) (Šv. Jono 12, ✆ +370 5 212 1715), avec sa façade baroque du XVIIIe siècle et son clocher, domine les magnifiques cours intérieures de l'université. En face, le double dôme de l'Observatoire, dont les façades sont ornées de signes zodiacaux, date du XVIe siècle. Dans l'église ont lieu des concerts d'orgues. Consultez le programme sur les sites : www.lmrf.lt et www.vilnius-events.lt

■ UŽUPIO GALERIJA

Célèbre galerie-atelier dont les artistes sont spécialisés dans le travail du métal. Un endroit absolument à visiter à Užupis.

Ville nouvelle

La ville nouvelle entoure le vieux Vilnius et regorge de logements, de sites à visiter, de restaurants et d'activités nocturnes. On pourra partir de la place de la Cathédrale et remonter Gedimino en direction de la rivière Neris (environ 2 km). En descendant vers la rivière, on aperçoit la façade moderne du théâtre de l'Opéra et du Ballet. Toujours sur Gedimino, au niveau du n° 40, on tombe sur la grande place Lukiški, où se dressait, il y a encore quelques années, la statue de Lénine, depuis déboulonnée. Entourée par des bâtiments administratifs, la place fait face à l'angle de Gedimino et de Tumo-Vaižganto, où, pendant l'occupation nazie, se trouvaient les locaux du KGB et de la Gestapo. Ils abritent à présent un musée du Génocide du peuple lituanien, appelé également musée du KGB, où l'on visite les geôles et les salles d'interrogatoire. En continuant sur Gedimino, juste avant la rivière Neris, se dresse, sur votre droite, le Parlement (*Seimas*). En janvier 1991, lors de l'arrivée des troupes soviétiques, des milliers de manifestants y avaient érigé des barricades pour défendre le bâtiment. A l'angle se trouve la Bibliothèque nationale. Sur la rive nord de la rivière, s'étendent à perte de vue les quartiers modernes construits pendant l'époque soviétique (à partir de Khroutchev).

Avenue Gedimino Prospektas, les Champs-Elysées de Vilnius.

■ AVENUE GEDIMINO PROSPEKTAS

Datant en grande partie du XIXe siècle, la ville nouvelle a pour axe principal l'avenue Gedimino, surnommée « les Champs-Elysées » de Vilnius. Cette artère (anciennement avenue Staline, puis Lénine) est la plus commerçante et la plus animée de la capitale. On pourra partir de la place de la Cathédrale et remonter Gedimino en direction de la rivière Neris (environ 2 km). En descendant vers la rivière, on aperçoit la façade moderne du théâtre de l'Opéra et du Ballet. Toujours sur Gedimino, au niveau du n° 40, on tombe sur la grande place Lukiškių où se dressait, il y a encore quelques années, la statue de Lénine, depuis déboulonnée.

Entourée par des bâtiments administratifs, la place fait face à l'angle de Gedimino et de Tumo-Vaižganto, où, pendant l'occupation nazie, se trouvaient les locaux du KGB et de la Gestapo. Ils abritent à présent un musée du Génocide du peuple lituanien, appelé également musée du KGB, où l'on visite les geôles et les salles d'interrogatoire. En continuant sur Gedimino, juste avant la rivière Neris, se dresse, sur votre droite, le Parlement (*Seimas*). En janvier 1991, lors de l'arrivée des troupes soviétiques, des milliers de manifestants y avaient érigé des barricades pour défendre le bâtiment. A l'angle se trouve la Bibliothèque nationale. Sur la rive nord de la rivière s'étendent à perte de vue les quartiers modernes construits pendant l'époque soviétique (à partir de Khrouchtchev).

■ MUSÉE DES VICTIMES DU GÉNOCIDE OU MUSÉE DU KGB (GENOCIDO AUKŲ MUZIEJUS)

Installé dans les anciens locaux du KGB, le musée retrace l'enfer des prisonniers politiques qui étaient interrogés et emprisonnés dans les cellules que vous pouvez actuellement visiter. Musée très réaliste qui peut aider à comprendre la souffrance des Lituaniens sous la domination soviétique. La visite est très bien faite et les panneaux explicatifs sont en anglais. Chair de poule garantie.

› **Ceux qui s'intéressent à l'histoire du KGB** peuvent visiter le complexe mémorial de Tuskulėnai, où les restes des personnes emprisonnées, puis tuées dans les prisons de la police secrète soviétique ont été enterrés en secret entre 1944 et 1947. Adresse : Žimūnų 1f, ✆ +370 5 275 0704.

■ MUSÉE NATIONAL, ANCIEN ARSENAL (TAIKOMOSIOS DAILĖS MUZIEJUS)

Exposition consacrée à l'histoire de la Lituanie, depuis l'âge de pierre jusqu'au XIIIe siècle. De nombreuses expositions temporaires sont organisées.

■ MUSÉE NATIONAL, NOUVEL ARSENAL (LIETUVOS NACIONALINIS MUZIEJUS)

Objets du Palais royal du Grand-Duché de Lituanie du XIIIe à la première moitié du XXe siècle. Les premières pièces du rez-de-chaussée sont consacrées à la peinture. Le plus intéressant est à l'étage avec la reconstitution de l'habitat traditionnel au cours des âges et les costumes en lin. Egalement au deuxième étage, croix païennes en bois et peintures religieuses des XVIe et XVIIe siècles. Près du musée se trouve la statue de Mindaugas, le premier grand-duc de toute la Lituanie ainsi que le premier et seul roi lituanien.

■ PALAIS DES RADVILOS (RADVILŲ RŪMAI)

Jonušas Radvila construisit ce palais au XVIIe siècle alors qu'il était commandant en chef du grand-duché de Lituanie et gouverneur de Vilnius. Exposition permanente de portraits et de peintures européennes des XVIe et XVIIe siècles, ainsi qu'une galerie de 165 portraits de famille dans leur ancienne demeure.

■ PARCS VINGIO ET KALNŲ

Les deux grands parcs de la ville sont le Vingio Parkas, à l'ouest, lieu de villégiature (on y skie l'hiver) où se tient chaque année le festival de chants folkloriques, et le Kalnų Parkas, ancien lieu de rassemblement des indépendantistes devenu le fief du rock. En été différents concerts s'y déroulent. Il comprend aussi la Colline des Croix d'où vous aurez une vue superbe sur Vilnius. Selon la légende, sept moines franciscains y furent crucifiés. Erigées au XVIIe siècle, les croix ont été détruites par ordre de Staline et reconstruites sur la base du modèle original en 1989.

■ PONT VERT (ŽALIASIS TILTAS)

Ce pont de 103 m de long, construit en 1952, abrite les dernières statues de l'époque soviétique. Elles représentent l'agriculture, l'industrie et la construction, la paix et la jeunesse. Ce sont les habitants de Vilnius qui se sont battus pour qu'elles ne soient pas déboulonnées à l'indépendance.

■ PROSPEKTO GALERIJA

Les photographies exposées sont très souvent proposées à la vente.

■ VARTAI

L'une des plus prestigieuses galeries d'art contemporain de la ville.

Šnipiškės

Šnipiškės et les quartiers au-delà de la Neris : la rive nord, plus populaire, est moins connue des touristes mais ne manque pas d'intérêt, plus local. C'est là que l'on trouvera la plupart des énormes centres commerciaux pour tous les férus du shopping.

■ ANCIENS BARAQUEMENTS DES TROUPES SOVIÉTIQUES

▶ **Sur la rive nord,** dans le quartier de Žirmūnai, on pourra pousser jusqu'aux anciens baraquements des troupes soviétiques qui quittèrent le pays le 31 décembre 1992. Un symbole, l'ancien Q.G. des officiers est devenu une morgue !

▶ **Sur Žirmūnai gatvė,** à Tuskulėnai Park, un mémorial a été érigé en l'honneur de 800 partisans lituaniens exterminés par le KGB après la Seconde Guerre mondiale.

▶ **A voir aussi au nord,** le cimetière d'Antakalnis, où sont enterrées notamment les victimes des troupes soviétiques de l'hiver 1991.

■ GALERIE NATIONALE D'ART (NACIONALINĖS DAILĖS GALERIJA)

Le tout dernier-né des musées de Vilnius est incontestablement une réussite. Il est situé dans le bâtiment qui abritait le « musée de la Révolution de la République soviétique socialiste de Lituanie ». Mais aujourd'hui il expose les œuvres de nombreux artistes lituaniens des XXe et XXIe siècles, et toutes les formes de productions artistiques (peinture, sculpture, photographie, etc.). Le fil directeur de l'exposition tient à la mise en rapport entre l'histoire politique tumultueuse de la Lituanie et sa relation à l'art. Une visite à ne pas louper !

■ JARDIN BOTANIQUE DE L'UNIVERSITÉ DE VILNIUS (BOTANIKOS SODAS)

Pour y aller, emprunter les trolley-bus 2, 3, 4 ou 14 à l'arrêt Karaliaus Mindaugo jusqu'à Nemenčinės plento ; puis prendre le bus 18 ou 38 jusqu'à Kairėnų.

C'est le plus riche jardin botanique de Lituanie avec environ 9 000 espèces différentes de plantes. De nombreux événements culturels sont organisés régulièrement. Il est possible de faire de l'équitation.

■ TADAS

Les peintures et les sculptures de Tadas Gutauskas sont à l'honneur dans cette galérie. Les achats se font sans intermédiaires.

■ TOUR DE TÉLÉVISION (TELEVIZIJOS BOKŠTAS)

De ce côté de la Neris, on pourra visiter la tour de la Télévision, la plus haute construction de Lituanie (326 m), dans le quartier de Karoliniškės, à l'ouest du parc Vingis. Le 13 janvier 1991, la tour fut prise d'assaut par les troupes soviétiques, qui tuèrent quatorze manifestants. Aujourd'hui, des croix en bois et des bougies au pied de la tour honorent la mémoire de ces victimes de l'indépendance. Au sommet de la tour, un restaurant offre un beau panorama de Vilnius (dommage que l'on soit si loin de la vieille ville dont on ne distingue que les clochers).

Paneriai

■ MÉMORIAL DE PANERIAI (PANERIŲ MEMORIALINIS MUZIEJUS)

A 8 km au sud-ouest de Vilnius. Ce camp de la mort nazi, où 100 000 personnes (dont 70 000 juifs) furent massacrées entre 1941 et 1944, est devenu aujourd'hui un lieu de recueillement. A l'entrée de la forêt, on pourra visiter le mémorial et le musée du Génocide. A quelques mètres, une herbe drue recouvre les fosses communes de sinistre mémoire.

Europos Parkas

■ PARC DE L'EUROPE (EUROPOS PARKAS)

A 19 km du centre de Vilnius, le « parc de l'Europe », initié par le sculpteur Gintaras Karosas, attire de nombreux artistes internationaux pendant la période estivale. Dans ce parc de 55 ha sont exposées une centaine de sculptures, dont celle du « centre de l'Europe », créée en 1993 par Gintaras Karosas. Ce monument indique les directions de toutes les capitales européennes et leurs distances par rapport au centre de l'Europe. Sur les reliefs du parc sont exposées plus de 100 sculptures d'artistes de 28 pays. Parmi ces sculptures, les œuvres d'artistes de renommée mondiale, telles que M. Abakanowicz, S. LeWitt, D. Oppenheim et quelques autres. Depuis 1997, des symposiums internationaux sur la sculpture y sont organisés. La visite du parc de l'Europe peut être envisagée en famille. Même si un restaurant se trouve au cœur du parc, il est possible d'y pique-niquer. A noter : Il est possible d'effectuer la visite en VTT.

Kernavė

A 35 km au nord-ouest de la capitale, cette petite bourgade de moins de trois cents habitants, posée au bord de la rivière Néris, dans un site magnifique, est plus qu'un simple village. Kernavė représente pour le peuple lituanien le symbole de ses racines européennes. Un grand nombre d'historiens considèrent ce village comme l'un des berceaux de l'Etat lituanien contemporain, le site présumé de la première capitale du pays, du haut Moyen Age au début du XIIIe siècle.

Centre géographique de l'Europe

En 1989, l'I.G.N. (Institut géographique national de France) a défini les frontières de l'Europe et a calculé que le centre géographique de l'Europe se trouvait à 26 km au nord de la capitale lituanienne, à 54°54' de latitude nord et 25°19' de longitude est. Situé à égale distance entre l'Oural et l'Atlantique, ce fameux point central est signalé par une sculpture de granit juchée en haut d'une petite colline (après un pont de bois). Pour vous y rendre, suivre l'autoroute de Molėtai jusqu'au village de Girija.

Kernavė, un site au statut de réserve nationale

Aujourd'hui, pour avoir su préserver les secrets encore cachés sous sa terre et pour la beauté des paysages de cette zone qui est aussi une réserve naturelle nationale, le site est inscrit au registre de l'Unesco du patrimoine mondial. Tout le territoire est efficacement protégé par son administrateur, Saulius Vadišius, également directeur du musée, qui travaille ardemment, avec les faibles moyens mis à sa disposition, pour non seulement préserver mais aussi développer l'intérêt du site dont il a la charge. La plaine, la Neris, les forêts, les champs, les oiseaux et le vent offrent ici un spectacle digne de la nature environnante. Pour le savourer, prenez les petits chemins spécialement aménagés et dirigez-vous vers la rivière. En chemin, vous croiserez renards, lapins, cigognes...

Ses châteaux forts se dressaient sur plusieurs collines au bord de la rivière Néris et protégeaient la capitale féodale (passage stratégique de première importance) des invasions et razzias diverses. L'ensemble a été rasé par les chevaliers Teutoniques à la fin du XIVe siècle. En 1410, les armées lituaniennes alliées aux Polonais se vengeront définitivement des Teutons en les écrasant à la bataille de Tannenberg (Grünwald), ou « Žalgiris » en lituanien.

■ PRESBYTÈRE (PRESBITERIJA)

Le presbytère et son jardin se présentent comme un complexe religieux comprenant deux musées de reliques. On y découvre également tout un ensemble de témoignages de la résistance religieuse de la région face à l'athéisme imposé par l'occupation soviétique.

■ SITE ARCHÉOLOGIQUE ET MUSÉE DE KERNAVĖ (ARCHEOLOGIJOS IR ISTORIJOS MUZIEJUS)

Le musée vient de rouvrir ses portes en juin 2012. Il expose une partie des nombreux objets mis au jour lors des premières fouilles du site. Il retrace également l'histoire de Kernavė et, plus largement, plus de 10 000 ans d'histoire de l'établissement des peuples dans la région, depuis l'âge de pierre jusqu'à la fin du XIVe siècle.

■ STUDIJA GALERIA ŠULINYS

Le studio-galerie expose les œuvres de l'artiste sculpteur-forgeron Henriks Orakausko. Environ 50 de ses ouvrages sont en Lituanie (dans l'église Saint-Jean de l'université de Vilnius), et 22 à Ukmergės. On peut les acheter sur place. La visite comporte quelques activités dans le jardin... à découvrir, même avec les enfants, rigolade assurée !

Trakai

Cette ancienne cité médiévale est située à une trentaine de kilomètres à l'ouest de Vilnius, dans un cadre naturel magnifique, entouré de grands lacs. Capitale et résidence des grands-ducs au XIVe siècle, son château fortifié de brique rouge a été édifié sous Gediminas, sur une presqu'île, au bord du lac Galvė (Galvė, qui veut dire « tête » en lituanien, doit son nom au grand-duc Vytautas qui avait jeté dans ces eaux la tête d'un chevalier vaincu). Par beau temps, vous pourrez admirer ce décor de légende lors de votre approche finale en avion, avant d'atterrir à Vilnius (sur la gauche).

Proche de Vilnius, Trakai constitue un but de visite incontournable et l'occasion d'une agréable balade d'une journée. Il est en outre le seul château dans toute l'Europe de l'Est à avoir été construit sur une île, une raison supplémentaire de ne pas manquer sa visite.

Trakai s'étire principalement sur une péninsule de 2 km, limitée à l'ouest par le lac Luka et, à l'est, par le lac Totoriškių. A l'extrême nord s'étend le lac Galvė, avec, sur une île, le château gothique en brique rouge et son musée. C'est l'unique parc historique du pays, et le plus petit parc national. Venir de préférence les 11 et 12 juin lors de la fête de la ville où sont prodiguées plusieurs animations médiévales avec notamment des banquets d'époque.

■ AUKŠTADVARIS REGIONAL PARK

Situé dans la région de Trakai et traversé par les fleuves Verknė and Strėva, ce parc pittoresque et riche en lacs et forêts séculaires de pins attire tous les passionnés de la nature. Le parc a cinq parcours de randonnée ou à vélo, et permet aussi de faire du canoë.

■ MUSÉE D'ART SACRÉ (SACRALINIO MENO MUZIEJUS)

Dans la chapelle des moines dominicains du XIXe siècle, exposition de reliques et d'objets liturgiques, peintures et statues.

■ MUSÉE ETHNOGRAPHIQUE KARAÏTE (KARAIMŲ ETNOGRAFINĖ EKSPOZICIJA)

Il retrace l'histoire des Karaïtes et nous fait découvrir la culture, les coutumes et la vie quotidienne de ce peuple arrivé en Lituanie au XIVe siècle.

Les Karaïtes

Autour de 1400, après sa victoire de la mer Noire, le grand-duc Vytautas ramena à Trakai, à la suite de sa campagne militaire, 400 familles de Karaïtes (karaimes en anglais) qui servirent comme gardes du château. Les descendants de ces anciens guerriers, originaires d'une secte juive et nomade de Turquie, peuplent encore aujourd'hui la région de Trakai et font la fierté de la Lituanie. Au nombre de 200 (dont 70 à Trakai), ils représentent le plus petit groupe ethnique du pays. Ils ont préservé leur langue, leurs coutumes, leurs maisons de bois et leur lieu de culte (kenessa, Karaimų 30), que vous pourrez visiter lors de votre passage à Trakai. Le village de Trakai est typique des constructions karaïtes, concentrée sur Karaimų g. Les maisons ont toutes trois fenêtres donnant sur la rue : une pour Dieu, une pour le grand-duc et une pour la famille. La porte d'entrée est derrière la maison. Leur musée se trouve à deux pas dans la même rue. Leur plat traditionnel, le kibinai, ou beignet, est populaire dans tout le pays. C'est l'occasion de manger du mouton.

▸ ***Pour plus de renseignements** sur les Karaïtes de Trakai : www.karaim.eu*

Château de Trakai.

© AUTHOR'S IMAGE – SERGE OLIVIER

© MAREK GAIDUKEVIC – FOTOLIA

Château de Trakai.

■ CHÂTEAU ET MUSÉE DE TRAKAI (ISTORIJOS MUZIEJUS SALOS PILYJE)

L'ensemble du château fut construit aux XIVe et XVe siècles. Il se compose du palais des Grands-Ducs, entouré d'un mur défensif, et d'un avant-château, séparé du palais par un profond fossé. Chaque année, dans le territoire du château se tient un festival médiéval, pendant la première moitié de juin, et le festival des métiers anciens à la mi-août.

■ PALACE D'UŽUTRAKIS (UŽUTRAKIO DVARO SODYBA)

Il s'agit d'un palais de style néo-Renaissance, entouré par un parc et plusieurs bâtiments de service, voulu à la fin du XIXe siècle par le comte Józef Tyszkiewicz. Son attrait principal est la vue depuis ses balcons sur le château de Trakai. Depuis sa réhabilitation, le palais accueille des expositions ponctuelles, se renseigner à l'office de tourisme.

© BIRUTE VIJEIKIENE – FOTOLIA

Palais d'Užutrakis à Trakai.

Le Sud

Le Sud regroupe les régions de Dzūkija et de Suvalkija. La région de Dzūkija (ou « pays des chansons »), située au sud-est du pays, rassemble la quasi-totalité des villes et sites touristiques du sud. Constituée de terres agricoles pauvres, et surtout connue pour ses sols et sous-bois riches en champignons et en baies sauvages, c'est un lieu de cure et de loisirs : canoë, vélo et ski s'y pratiquent. Son chef-lieu est Kaunas. La région de Suvalkija, au sud-ouest, est peu touristique et ne présente guère d'intérêt pour le visiteur, exception faite de la réserve de Žuvintas.

Kaunas

Deuxième plus grand centre scientifique, industriel et culturel du pays, Kaunas est situé à 103 km à l'ouest de Vilnius, au confluent du Niémen et de la Neris.

Histoire

Fondé au XIe siècle autour des bases de son château qui domine l'intersection des deux rivières, Kaunas fut un bastion d'avant-garde à la pointe des combats contre l'ordre des chevaliers Teutoniques venant de l'Est, entre le XIIIe et le XVe siècle. Après cette période, la ville prospéra dans le cadre du commerce de la Hanse.

Kaunas aurait été incendié à treize reprises, pour des raisons stratégiques, avant la Seconde Guerre mondiale. Néanmoins, au cours de cette période tragique, sa vieille ville fut étonnamment préservée. Aujourd'hui, ce centre historique aux multiples styles architecturaux offre un intérêt tout particulier, ce qui n'est pas le cas de ses périphéries, construites et élargies à l'époque soviétique.

A l'issue de la Première Guerre mondiale, le 16 février 1918, le Conseil lituanien proclama la république de Lituanie. Le peuple lituanien continuait de se battre contre les Polonais et les Bolcheviks pour protéger son indépendance. Cependant, en 1920, la Pologne réussit à annexer Vilnius. La capitale fut alors déplacée à Kaunas, cette grande ville universitaire, qui devint la capitale de la Lituanie indépendante de l'entre-deux-guerres (1920-1939). De cette époque date une certaine rivalité qui oppose Kaunas à Vilnius.

Aujourd'hui

Souvent considéré comme plus lituanien (et plus nationaliste aussi) que Vilnius, car plus homogène ethniquement, Kaunas est un centre commerçant (notamment pour le textile et l'agroalimentaire).

Kaunas a accueilli du 19 au 22 mai 2011 les journées internationales de la nouvelle Hanse, renouant de fait avec un passé fructueux lié à cette association de villes marchandes du Moyen Age et lui octroyant une visibilité internationale amplifiée.

Le Kaunas juif

Les premières témoignages de la présence des juifs à Kaunas datent de 1410. Originairement les juifs résidaient dans le quartier Slobodka (aujourd'hui Vilijampolé), mais à la moitié du XIXe siècle, les restrictions au lieu de résidence les forcèrent à s'installer dans la vieille ville. Avant la Seconde Guerre mondiale, il y avait 37 000 juifs à Kaunas et 37 synagogues. Pendant l'été 1941, les nazis enferment les juifs dans le ghetto de Slobodka, devenu le tristement célèbre ghetto de Kovno. Presque tous les juifs de Kaunas furent tués dans les camps d'extermination, notamment au fort n° 9. Aujourd'hui, à Kaunas, il ne reste que 1 000 juifs et une seule synagogue.

■ **ANCIEN GHETTO JUIF**

L'ancien ghetto juif, Kovno Ghetto, se trouve dans le quartier de Vilijampolė (anciennement appelé Slobodka), sur la rive opposée du Neris, en face de la vieille ville. Il est délimité par les rues Paneriu, Jubarko et Demokratu. Il a fonctionné jusqu'en 1944. Un mémorial se trouve sur Kriščiukaičio, au coin entre les rues Ariogalos et Linkuvos.

■ **DEVINTAS FORTAS – FORT N° 9**

Construit à la fin du XIXe siècle, sous l'empire tsariste, pour défendre ses frontières occidentales, le fort n° 9 fut transformé par les nazis en camp de concentration. Plus de 50 000 juifs y trouvèrent la mort. On peut y voir, gravé dans la pierre, « nous sommes 900 Français ». Un musée retrace aujourd'hui les atrocités nazies de la Shoah ainsi que celles commises par le régime soviétique contre les Lituaniens.

■ **FONDATION SUGIHARA**

C'est dans cette maison que le Japonais Chiune Sugihara, consul en Lituanie entre 1939 et 1940, avec l'aide de son homologue hollandais, Jan Zwartendijk, organisa la mise en place d'un vaste plan de sauvetage de milliers de juifs. Ceux dotés d'un passeport polonais ont été envoyés vers la Russie grâce à un visa de transit. Les autres devaient, selon le plan, rejoindre les anciennes colonies hollandaises de la Caraïbe (Curaçao et le Surinam actuels), mais pour cela un visa de transit pour le Japon était nécessaire. Contre les ordres et contre l'accord de Tokyo, Chiune Sugihara émit les visas. On estime que lors du dernier mois passé à Kaunas, 300 visas auraient été délivrés par jour et que ces deux hommes auraient sauvé 6 000 juifs de l'holocauste.

■ **SYNAGOGUE (SYNAGOGI)**

Construite en 1871, elle possède l'un des plus beaux autels connus dans tout le monde juif. On y a érigé un mémorial en souvenir des 1 700 enfants tués au camp n° 9 (estimation). Les vestiges des deux anciennes synagogues se trouvent aux n° 7 et n° 9 de Zamenhofo.

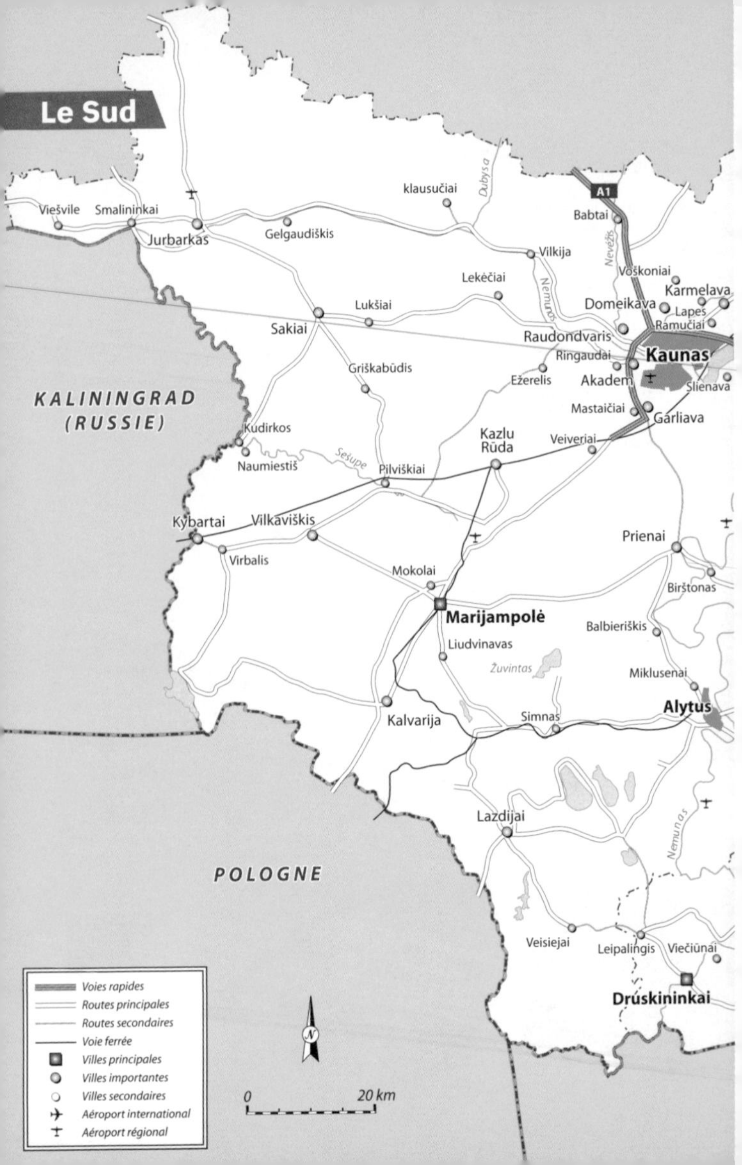

Le Sud
KALININGRAD
(RUSSIE)
POLOGNE
Viešvile
Smalininkai
Jurbarkas
Gelgaudiškis
klausučiai
Dubysa
A1
Babtai
Nevėžis
Vilkija
Lekėčiai
Nemunas
Vośkoniai
Karmelava
Domeikava
Lapes
Ramučiai
Lukšiai
Sakiai
Raudondvaris
Kaunas
Ringaudai
Akadem
Griškabūdis
Ežerelis
Slienava
Mastaičiai
Garliava
Kudirkos
Naumiestiš
Sešupe
Pilviškiai
Kazlu Rūda
Veiveriai
Kybartai
Vilkaviškis
Virbalis
Mokolai
Prienai
Birštonas
Marijampolė
Balbieriškis
Liudvinavas
Žuvintas
Miklusenai
Kalvarija
Simnas
Alytus
Lazdijai
Nemunas
Veisiejai
Leipalingis
Viečiūnai
Drúskininkai
Voies rapides
Routes principales
Routes secondaires
Voie ferrée
Villes principales
Villes importantes
Villes secondaires
Aéroport international
Aéroport régional
N
0
20 km

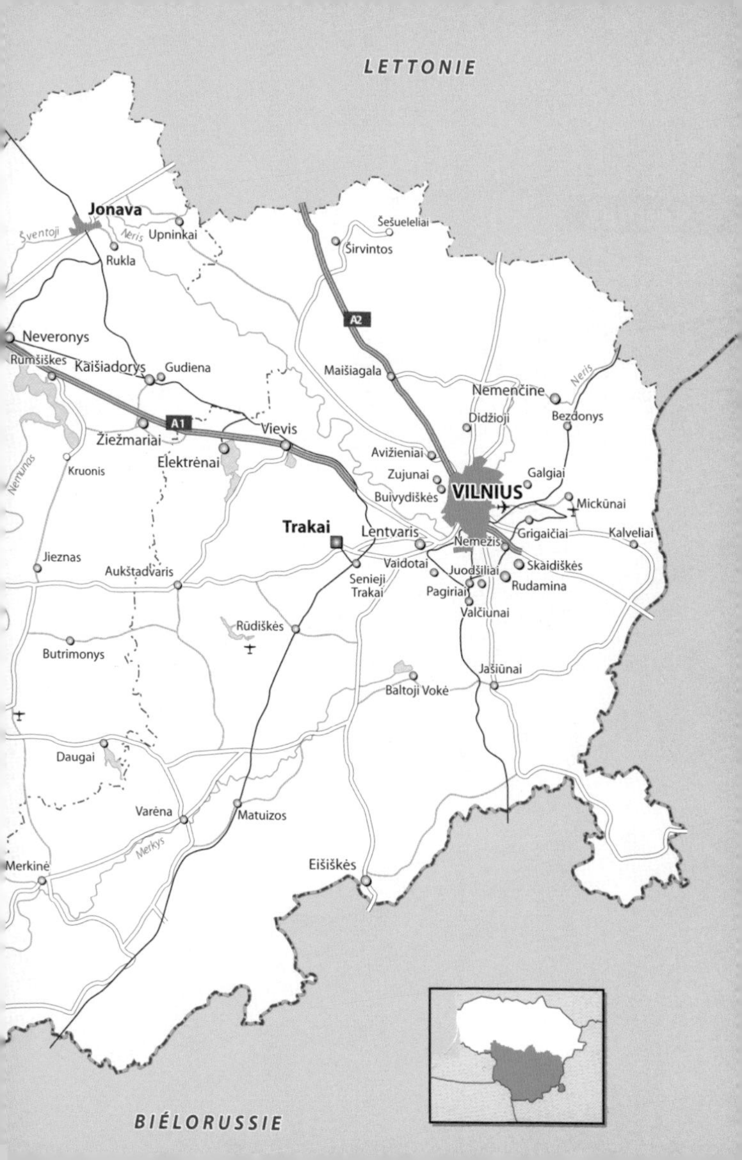

LETTONIE
Jonava
Šventoji
Neris
Upninkai
Rukla
Šešueleliai
Širvintos
A2
Neveronys
Rumšiškės
Kaišiadorys
Gudiena
Maišiagala
Nemenčine
Neris
Didžioji
Bezdonys
A1
Vievis
Žiežmariai
Elektrėnai
Avižieniai
Kruonis
Nemunas
Zujunai
Galgiai
Buivydiškės
VILNIUS
Mickūnai
Trakai
Lentvaris
Grigaičiai
Kalveliai
Nemežis
Jieznas
Aukštadvaris
Vaidotai
Juodšiliai
Skaidiškės
Senieji Trakai
Pagiriai
Rudamina
Valčiunai
Rūdiškės
Butrimonys
Jašiūnai
Baltoji Vokė
Daugai
Varėna
Matuizos
Merkys
Merkinė
Eišiškės
BIÉLORUSSIE

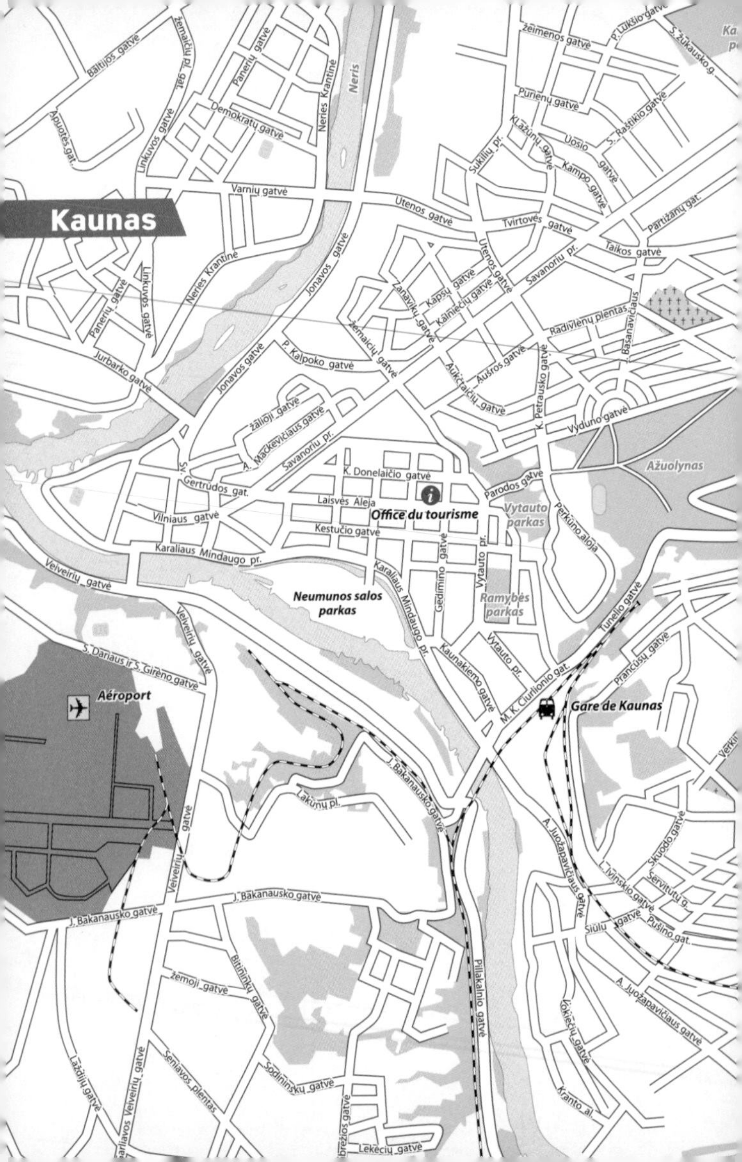

Kaunas
Office du tourisme
Aéroport
Gare de Kaunas
Neumunos salos parkas
Vytauto parkas
Ramybės parkas
Ąžuolynas
Neris
Laisvės Aleja
K. Donelaičio gatvė
Kestučio gatvė
Vilniaus gatvė
Karaliaus Mindaugo pr.
Savanorių pr.
Jonavos gatvė
Neries Krantinė
Utenos gatvė
Varnių gatvė
Demokratų gatvė
Panerių gatvė
Linkuvos gatvė
Baltijos gatvė
Žemaičių pl. gat.
Jurbarko gatvė
Veiveirių gatvė
S. Dariaus ir S. Girėno gatvė
J. Bakanausko gatvė
Lakūnų pl.
Žemoji gatvė
Bitininkų gatvė
Seniavos plentas
Sodininkų gatvė
Lekečių gatvė
Ląžadijų gatvė
Pillakalnio gatvė
A. Juožapavičiaus gatvė
Vokiečių gatvė
Kranto al.
Šiulų gatvė
Pušino gat.
Servitutų g.
Skuodo gatvė
Prancūsų gatvė
Tunelio gatvė
M. K. Čiurlionio gat.
Vytauto pr.
Kaunakiemo gatvė
Gedimino gatvė
Perkūno aloja
Parodos gatvė
Vyduno gatvė
K. Petrausko gatvė
Aušros gatvė
Aukštaičių gatvė
Radvilėnų plentas
Basanavičiaus
Taikos gatvė
Partižanų gat.
Tvirtovės gatvė
Kapsų gatvė
Kalniečių gatvė
Zanavykų gatvė
Žemaičių gatvė
P. Kalpoko gatvė
Žalioji gatvė
A. Mackevičiaus gatvė
Sv. Gertrūdos gat.
Sukilių pr.
Kampo gatvė
Uosio gatvė
S. Raštikio gatvė
Puriėnų gatvė
Žeimenos gatvė
P. Lukšio gatvė
S. Žukausko g.
Apuolės gat.

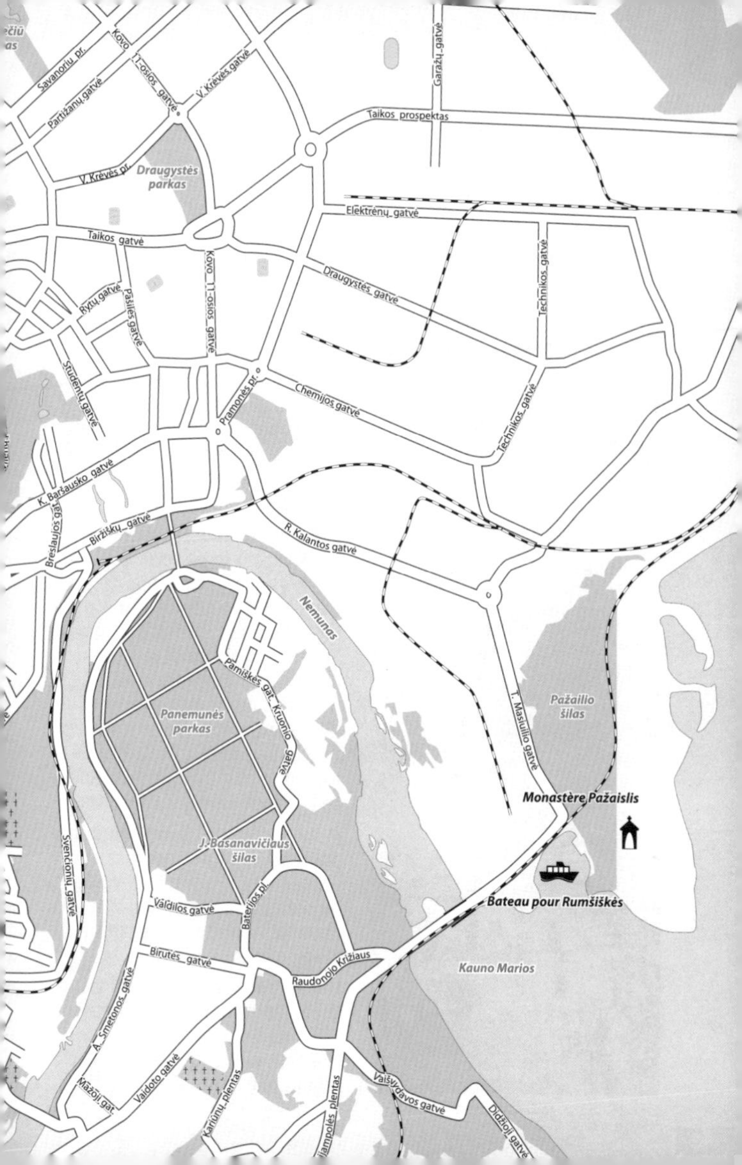
Savanorių pr.
Kovo 11-osios gatvė
V. Krėvės gatvė
Garažų gatvė
Partizanų gatvė
Taikos prospektas
V. Krėvės pr.
Draugystės parkas
Elektrėnų gatvė
Taikos gatvė
Technikos gatvė
Draugystės gatvė
Rytų gatvė
Pašilės gatvė
Kovo 11-osios gatvė
Studentų gatvė
Pramonės pr.
Chemijos gatvė
Technikos gatvė
K. Baršausko gatvė
Breslaujos gat.
Biržiškų gatvė
R. Kalantos gatvė
Nemunas
Pamiškės gat.
Kruonio gatvė
Panemunės parkas
T. Masiulio gatvė
Pažailio šilas
Monastère Pažaislis
J. Basanavičiaus šilas
Švenčionių gatvė
Valdilos gatvė
Baterijos pl.
Bateau pour Rumšiškės
Birutės gatvė
Raudonojo Kryžiaus
Kauno Marios
A. Smetonos gatvė
Mažoji gat.
Vaidoto gatvė
Karių̨ plentas
Marijampolės plentas
Vaišvydavos gatvė
Didžioji gatvė

Vieille ville

■ MUSÉE DE LA CÉRAMIQUE (KERAMIKOS MUZIEJUS)

Céramiques et poteries du XVIe à nos jours.

■ MUSÉE DE LA COMMUNICATION (RYŠIŪ ISTORIJOS MUZIEJUS)

Ce musée dédié à l'histoire de la communication expose les lettres du grand-duc Gediminas jusqu'aux satellites, mais également une collection des premiers timbres du pays.

■ MUSÉE DE LA MUSIQUE (POVILO STULGOS LIETUVIŲ TAUTINĖS MUZIKOS INSTRUMENTŲ MUZIEJUS)

Ce charmant musée présente les instruments folkloriques lituaniens ainsi que des instruments de musique étrangers.

L'Hôtel de ville de Kaunas surnommé le « cygne blanc ».

■ PLACE ROTUŠĖŠ

La place Rotušės est la place de l'hôtel de ville, construit en 1542 dans un style baroque tardif avec des éléments classiques et gothiques. A l'époque soviétique, il est devenu – et resté depuis – le palais des Mariages. Fierté des habitants de Kaunas, la place Rotušės est entourée d'anciennes demeures des marchands allemands des XVe et XVIe siècles, aujourd'hui rénovées.

▶ **A l'angle sud-ouest de la place,** s'élève la statue de Maironis, prêtre de Kaunas et précurseur du mouvement national à la fin du XIXe siècle, qui tourne le dos au musée de la Littérature lituanienne.

▶ **A l'angle sud-est de la place,** sur Aleksoto 6, on verra la maison de Perkūnas, exemple originel d'architecture séculaire en style tard gothique, construite sur un ancien site célébrant le dieu païen du Tonnerre, Perkūnas en lituanien. On verra aussi l'église de Vytautas (Aleksoto 3), construite par les moines franciscains au début du XVe siècle. A voir, également sur la place, le musée de la Médecine et de la Pharmacie.

▶ **Au nord de la place Rotušės,** à proximité de l'église gothique Saint-Georges, se dressent les vestiges du château datant du XIe siècle, qui abrite souvent des expositions d'art contemporain.

▶ **Rue Vilniaus,** on pourra visiter la cathédrale Saints-Pierre-et-Paul (XIIIe siècle) avec le tombeau de Maironis, prêtre et poète, considéré le fondateur de la poésie lituanienne.

Statue de Maironis devant sa maison.

Église de la résurrection de Kaunas.

En style gothique avec des touches de Renaissance et baroque qui datent du XVIIe siècle.

A l'extrémité ouest de Laisvės alėja se trouve le parc où, près de la statue de Vytautas, l'étudiant Romas Kalanta s'immola par le feu en 1972 pour protester contre l'occupation soviétique.

Ville nouvelle

CIMETIÈRE AUKŠTIEJI ŠANČIAI

Ici reposent les deux héros de la ville, les aviateurs Steponas Darius et Stasys Girėnas. En 1933, ce sont les premiers Lituaniens à tenter la transatlantique (depuis New York). En pleine guerre, ils n'atteindront jamais Kaunas, leur destination finale. Ils sont aujourd'hui honorés par le pays (de nombreuses rues portent leur nom) et sont représentés sur les billets de 10 Lt.

COLLINE NAPOLÉON

De cette colline, Napoléon et ses troupes guettaient l'avancée de l'ennemi et préparaient leur attaque contre l'armée impériale russe. Au mois de juin, Kaunas commémore l'arrivée de Napoléon le libérateur, en souvenir de juin 1812.

ÉGLISE DE LA RÉSURRECTION (KRISTAUS PRISIEKĖLIMO BAŽNYCIA)

L'église de la Résurrection, voici le symbole du Kaunas moderne : cette église blanche, cubique, aux dimensions énormes, se voit de partout. Construite de 1932 à 1940, lors de la première indépendance, quand Kaunas était alors capitale. La construction s'arrête avec l'occupation des Soviétiques qui utilisent la bâtisse pour en faire le centre de transmission de radio du pays. La tour de 70 m offre une vue panoramique exceptionnelle.

FUNICULAIRE DE ŽALIAKALNIS (FUNIKULIERIUS)

Ce funiculaire de 140 m permet de rejoindre rapidement la zone autour de Savanorių, au bout de la colline. L'arrêt est non loin de l'église de la Résurrection.

Un autre funiculaire, Aleksotas, à Amerikos Lietuvių 6, offre une belle vue sur l'ensemble de la ville. On le trouve à 200 m au sud de la place Rotušės. Une fois le pont Aleksoto traversé, sur le Niémen, on accède au funiculaire qui mène au sommet de la colline (0,50 Lt ; du lundi au vendredi de 7h à 19h, le samedi et le dimanche de 9h à 19h). De là, un magnifique panorama s'étend sur la ville entière.

JAUKŪS NAMAI

Articles en lin de toutes sortes, faits à la main. Un magasin vraiment à visiter.

MUSÉE DE LA RÉSISTANCE (TREMTIES IR REZISTENCIJOS MUZIEJUS)

Consacré aux Frères de la forêt qui luttèrent contre l'occupation soviétique de 1945 à 1953, mais également aux victimes du goulag. A l'entrée, des informations en anglais sont en vente. Ne pas emmener les enfants.

MUSÉE DE M.K. ČIURLIONIS (M.K. ČIURLIONIO VALSTYBINIS DAILĖS MUZIEJUS)

Ce musée d'art est consacré au peintre et compositeur M.K. Čiurlionis, considéré comme le plus grand artiste lituanien.

■ **MUSÉE DU DIABLE (VELNIŲ MUZIEJUS)**

Le musée du Diable présente une collection impressionnante de plus de 3 000 statuettes représentant Lucifer ! N'y manquent pas celles de Staline et d'Hitler, deux de ses « émissaires terrestres » les plus prestigieux. Une visite décalée et intéressante.

■ **MUSÉE MILITAIRE DU GRAND-DUC VYTAUTAS (VYTAUTO DIDŽIOJO KARO MUZIEJUS)**

Le musée militaire du grand-duc Vytautas est consacré à l'histoire de la Lituanie, et principalement à la douloureuse période de 1939-1945. Dans la tour du musée, le beffroi de Kaunas avec son grand carillon fabriqué en Belgique en 1935 est un lieu de concerts fort réputé. Les concerts ont lieu généralement le samedi et le dimanche à 16h.

■ **ZOO**

L'unique zoo du pays : sur 16 ha, plus de 270 espèces.

Monastère de Pažaislis

■ **PAŽAISLIO VIENUOLYNAS**

A 9 km à l'est du centre-ville de Kaunas, proche du lac artificiel et du yacht-club, se trouve le monastère baroque de Pažaislis construit par les Italiens au XVIIe siècle. Situé au milieu d'un grand parc, ce monastère accueille chaque année, entre juin et août, un festival de musique classique. Dix ans ont été nécessaires à la construction de ce bijou architectural ; les fresques ont, quant à elles, nécessité 20 ans de travail. Il y en avait 300, aujourd'hui on peut en admirer 144. L'histoire est un peu tumultueuse. A l'origine, douze moines camaldules occupaient les lieux. Au XVIIIe siècle, les Russes le transforment en monastère orthodoxe. En 1812, les soldats de Napoléon pillent le monastère pendant la retraite de Russie. Au XIXe siècle, c'est la résidence du tsar, puis un monastère de nouveau. En 1914, les Allemands utilisent le site comme hôpital militaire et le ravagent. Après la Première Guerre mondiale, le monastère est transformé en couvent (les sœurs de Saint-Casimir). Pendant la période soviétique, l'ensemble devient l'abri des archives de la République, un hospice, un hôpital psychiatrique, puis une galerie d'art. Aujourd'hui c'est un couvent qui abrite vingt sœurs. La guerre a fait de nombreux dégâts et, depuis l'indépendance, le gouvernement cherche des fonds pour rénover (les donations aident aussi). A l'extérieur, se trouve la tombe de Alexei Fiodorovič Lvov, compositeur de l'hymne national tsariste. La visite est autorisée à l'extérieur et dans l'église dédiée à la Visitation de la Vierge Marie. La peinture de la coupole a nécessité à elle seule 20 ans de travail, à 8 m de hauteur. L'ensemble est en marbre rose et noir. Les horribles carrés blancs sont l'œuvre des Soviétiques, pour recouvrir les icônes. Les fresques ainsi cachées sont irrécupérables aujourd'hui. L'autel original a été détruit. On y voit un tableau de la Vierge à l'Enfant, appelé *La Mère du bel amour*, donné par le pape Alexandre VII. Il a été volé deux fois : en 1948, puis retrouvé à Moscou, et en 1993, mais récupéré à la frontière.

Rumšiškės

■ MUSÉE NATIONAL ETHNOGRAPHIQUE DE PLEIN AIR (LIETUVOS LIAUDIES BUITIES MUZIEJUS RUMŠIŠKĖS)

A Rumšiškės, on pourra visiter le Musée national ethnographique de plein air et assister à ses spectacles folkloriques d'été, notamment pour la fête de la Saint-Jean et pour l'Assomption. Le Musée ethnographique, créé en 1966, rassemble les différentes architectures traditionnelles des quatre grandes régions du pays, sur 175 ha, depuis le XVIIIe siècle jusqu'à la première moitié du XXe. L'ensemble de la visite représente 6,5 km de marche, et un minimum de 3 heures. Dès l'entrée, une exposition de sculptures traditionnelles permet de découvrir l'évolution des techniques depuis le XIXe siècle jusqu'à nos jours. Une fois le pont passé, plusieurs itinéraires s'offrent à vous. Ce qui suit peut être fait en sens inverse.

D'abord, Dzūkija, la région agricole la plus pauvre est composée de petites fermes. Ensuite, celle d'Aukštaitija, dans laquelle de nombreuses fermes sont regroupées autour d'une seule rue. On ne manquera pas l'église en bois du XVIIIe siècle. La plus petite section, consacrée à la région de Suvalkija, est vite repérable par ses maisons aux toits de tuiles rouges. Dans la plus grande section du parc, Žemaitija, on note le manoir, le moulin à vent, une scierie et de nombreuses fermes. Enfin, dans le village reconstitué, on admire le travail de quelques artisans (poterie, laine, ambre) ; on peut également se restaurer, prendre un verre ou flâner.

© RAIMUNDAS - FOTOLIA

Musée national ethnographique de plein air.

Birštonas

Seule ville d'eau de Lituanie, Birštonas se situe dans le parc régional des Boucles du Niémen. Elle a obtenu le statut de ville thermale en 1846, mais c'est sous l'occupaltion soviétique qu'elle s'est développée. Entourée de forêts, cette charmante ville peut constituer une agréable halte. Depuis 2002, la ville a une piste de ski d'une longueur de 160 m, avec un téléski. C'est une ville thermale, idéale pour les cures de bien-être. Le parc des Boucles du Niémen a été établi en 1992 et s'étend sur une surface de 25 000 ha. L'idéal pour ceux qui aiment la randonnée, le *bird-watching*, le canoë et le tourisme vert (à pratiquer dans le parc régional des boucles du Niémen).

■ **BIRŠTONO MUZIEJUS (MUSÉE DE LA VILLE)**

Musée consacré à l'histoire de la ville, uniquement en lituanien, où l'on découvre les photos des premiers spas.

■ **SAKRALINIS MUZIEJUS (MUSÉE DE L'ART SACRÉ)**

Musée dans l'ancienne sacristie consacré à l'art sacral.

Druskininkai

Situé à la limite du parc Dzūkija, Druskininkai, la ville du compositeur lituanien Čiurlionis et du sculpteur Lipchitz, mérite également qu'on s'y arrête. Proche de la frontière biélo-russe et polonaise, c'est un endroit qui semble fait pour la détente. Ville très connue pour sa spécialité de thérapie de boue et pour son climat,

Le thermalisme

La région baltique était très prisée de l'aristocratie russe impériale et, plus tard, de la nomenklatura soviétique. Et pas seulement pour ses plages. Bien avant la mode des bains de mer, les eaux et boues de la région étaient renommées pour leurs pouvoirs curatifs, agissant sur les maladies de peau, du foie et des nerfs. Après avoir été converties pour accueillir le tourisme soviétique de masse, les stations de la région étaient tombées dans un quasi-oubli. Les voilà à présent qui renaissent et se modernisent.

Les établissements de cure de la région sont modernes et disposent d'un personnel compétent, très accueillant et d'une gentillesse à toute épreuve. De plus, ils vous permettent une grande liberté dans la planification de vos journées. Bien qu'il vous soit conseillé de consulter le médecin du centre, vous pouvez improviser chaque jour votre programme de soins du lendemain. Tous ces établissements sont implantés dans des secteurs propices aux longues promenades, à pied ou à vélo. Druskininkai mérite une mention d'exception, tant la ville est riche sur les plans culturel et naturel. Elle dispose par ailleurs de restaurants et d'hôtels sympathiques et peu onéreux.

Si vous envisagez de faire une cure, prévoyez une semaine, dont cinq à six jours de soins, et programmez de préférence vos visites culturelles et promenades le matin et les soins l'après-midi.

elle accueille des visiteurs pendant toute l'année. La ville a le label de station thermale depuis 1794. Ses principaux atouts sont ses sept sources d'eau minérale, ses établissements de santé et ses sanatoriums. Les forêts de pin, les rivières Niémen et Ratnyčia ainsi que les lacs y créent un microclimat unique. Actuellement la ville de Druskininkai possède neuf sanatoriums et un centre de soins thermiques pouvant accueillir près de six mille personnes en même temps. Des technologies de diagnostic et de traitement parmi les plus modernes y sont utilisées. En 2003, l'hebdomadaire *Newsweek* a annoncé que Druskininkai s'était placé en première position parmi les dix meilleures villes thermales d'Europe. La ville s'est dotée d'une multitude de zones piétonnes et de pistes cyclables, ainsi que d'un parc aquatique, le plus grand des pays Baltes. Des pistes de ski sont ont été récemment inaugurées.

■ VALLÉE DE RAIGARDAS

Une superbe région idéale pour les marcheurs, dans une nature sauvage préservée.

■ MUSÉE DE LA RÉSISTANCE ET DE LA DÉPORTATION (REZISTENCIJOS IR TREMTIES MUZIEJUS)

Musée dédié à la résistance locale contre l'occupation soviétique. Peu d'information en anglais.

■ MUSÉE DE LA VILLE (DRUSKININKŲ MIESTO MUZIEJUS)

Exposition sur l'histoire de Druskininkai et sa région.

Église orthodoxe de Druskininkai.

■ MUSÉE DE « L'ÉCHO DE LA FORÊT » (MIŠKO MUZIEJUS « GIRIOS AIDAS »)

Dans une maison magnifique, expositions de sculptures et de tous les différents travaux du bois. Sculptures extérieures.

■ MUSÉE MÉMORIAL DE M.K. ČIURLIONIS (M. K. ČIURLIONIS MEMORIALINIS MUZIEJUS)

La visite se fait dans trois maisons différentes. Les deux premières sont des reconstitutions de l'habitat du peintre et compositeur. La dernière est consacrée à l'exposition de sa peinture. En été, de nombreux concerts de piano sont organisés.

Parc des sculptures de A.Česnulis à Druskininkai.

■ PARC DES SCULPTURES DE A. ČESNULIS (ČESNULIŲ SODYBA)
L'artiste folklorique Antanas Česnulis sculpte le bois. Dès l'entrée, le ton est donné par le moulin à vent de 4 étages qui expose ses œuvres. La visite se poursuit à l'extérieur. Une belle balade !

■ ŠVENDUBRĖ
Un village traditionnel à l'architecture intéressante et aux nombreuses légendes, comme par exemple Švendubrės Akmuo, surnommée « la pierre du diable »...

Parc national de Dzūkija

Le plus grand (55 920 ha) et le plus vert (91 % de forêts) des parcs lituaniens. Créé en 1991 pour préserver le patrimoine historique (villages et monuments), il couvre la partie sud du pays, de Vilnius à Druskininkai. Les vastes forêts de pins de Dzūkija sont connues pour leur abondance en baies et en champignons, qui constituent parfois un complément de revenus pour les habitants de la région. Parmi les nombreux animaux sauvages qui peuplent le parc, on pourra apercevoir des aigles rares. Dans le parc, plusieurs sentiers ont été amenagés pour la randonnée. Non loin de Marcinkonys, un sentier de 1,5 km permet d'explorer les célèbres dunes du parc. La plupart d'entre elles sont désormais recouvertes de végétation, mais le spectacle est fascinant.

Réserve de Čepkeliai

Créée en 1975 pour préserver cette ancienne région marécageuse située au milieu de la forêt de Gudū, dans le sud du pays, la réserve couvre 8 477 ha, au sud du village de Marcinkonys, près de la frontière de la Biélorussie. C'est le plus grand marais de Lituanie, un sanctuaire d'espèces animales et végétales spécifiques aux marais. L'endroit est d'une beauté époustouflante.

Parc Grūto

Le parc se trouve à 130 km de Vilnius, 7 km de Druskininkai. Conçu comme un parc d'attractions et ouvert depuis le 1er avril 2001 sur un territoire de 20 ha en pleine forêt, ce parc a pour caractéristique de retracer l'occupation de la Lituanie par l'armée soviétique sur un parcours de 2 km.

Le 15 juin 1940, 150 000 soldats de l'Armée rouge pénètrent en Lituanie. Jusqu'en 1990, l'application de l'idéologie du régime « étranger » fait des ravages considérables : 360 000 personnes sont emprisonnées, tuées ou déportées ; 440 000 quittent le territoire. C'est un tiers de la population qui disparaît. La visite commence en vous plongeant directement dans l'ambiance : barbelés et mirador, comme si l'on entrait dans un camp. Sur la gauche, le wagon (*zisai*) d'époque est là pour rappeler, ou rendre concrètes, les conditions de transport des déportés vers la Sibérie. Le voyage durait un mois, sans hygiène ni sanitaire. Un millier de personnes partaient chaque jour pour les régions de Krasnoïarsk, Irkoutsk et Tomsk essentiellement. Sur la droite, toutes les coupures de presse de nombreux pays, dont la France, rappellent qu'à l'ouverture, ce parc ne faisait pas l'unanimité.

C'est après cette entrée en matière que vous devez vous acquitter du droit d'entrée. Le parc expose notamment toutes les statues des grands dignitaires russes et lituaniens qui ont été déboulonnées des places du pays à la chute du régime, en 1990. Tous ces dignitaires coulés dans le bronze ou sculptés dans la pierre, tous ces groupes d'ouvriers ou de partisans qui faisaient partie de l'ancien paysage ont été, pour la plupart, récupérés par Viliumas Malinauskas, un homme d'affaires qui a fait fortune dans les conserves de champignons. Les statues de Staline, Lénine, Marx, Engels sont les plus nombreuses. On remarquera celle de Feliks Dzerzhinsky, « l'auteur » du premier goulag (qui inspirera, plus tard l'idée des camps de concentration). Quelques sculptures sont accompagnées d'une biographie du tyran. La visite du musée, de la bibliothèque et de la « maison de la culture » est effroyable : médailles, films et commentaires retracent l'aliénation effectuée pendant 50 ans. Alors qu'on déambule entre ces fantômes d'une époque révolue, ici et là, des haut-parleurs d'époque distillent des chants partisans soviétiques. Le parc propose des espaces plus ludiques, notamment pour les enfants : un zoo et des jeux.

Réserve de la biosphère de Žuvintas

Seul point d'intérêt de la région de Suvalkija, proche de la ville d'Alytus, cette réserve, fondée en 1937 autour du lac Žuvintas (980 ha), abrite plus de 580 espèces végétales et 253 espèces d'oiseaux (cygnes muets, hérons, oies sauvages...). C'est l'un des sites ornithologiques les plus importants du pays. Castors, loutres et visons peuplent aussi la réserve.

La côte

La Lituanie a 99 km de côtes sur la Baltique. Des stations balnéaires du Nord, très fréquentées en été, aux petits villages de pêcheurs, plus calmes, la côte est une étape incontournable dans le voyage. En été, les plages de sable blanc et le vélo sont les principales occupations. L'hiver, il est possible de skier sur les dunes, de marcher sur la lagune alors gelée et de pratiquer la pêche. La lagune de Courlande est formée par le delta du Niémen (Nemunas). Son nom provient du peuple koure de Lettonie, dont certains représentants vinrent s'installer dans la région, une région qui, on l'a vu, faisait partie de la Prusse jusqu'à la Première Guerre mondiale. Le delta du Niémen offre un point de vue incroyable sur la presqu'île de Neringa et permet de découvrir une grande partie de la lagune de Courlande. La presqu'île, coincée entre la mer Baltique et la lagune, est un agglomérat de petits villages de pêcheurs entre lesquels des dunes de sable, dignes du Sahara, émerveillent tous curieux. La côte lituanienne est plus connue sous le nom de « Mažoji Lietuva » (Lituanie Mineure ou Petite Lituanie) car ce territoire appartenait à la Prusse. L'allemand est donc parlé par de nombreux habitants. Au lendemain de la Seconde Guerre mondiale, les habitants ont été tués ou expulsés. D'ailleurs aujourd'hui, l'essentiel de la Petit Lituanie historique se trouve dans l'enclave de Kaliningrad. Dans le découpage actuel, la Petite Lituanie est intégrée dans la région de Žemaitija, mais pas pour ses habitants.

Klaipėda

Situé au bord de la Baltique, à l'entrée de la lagune de Courlande, cet ancien petit port de pêche est maintenant la troisième ville du pays, un lieu stratégique pour l'économie lituanienne (on y a ouvert récemment des zones franches), un port commercial à vocation internationale depuis la période hanséatique, et qui a le sérieux avantage de ne pas être bloqué par les glaces en plein hiver. Klaipėda n'a pas que des attraits urbains : elle est un point de départ pour la presqu'île de Neringa et sa réserve naturelle. On y accède en prenant le ferry qui mène de Klaipėda à Smiltynė, de l'autre côté de la lagune. Les plages et les stations balnéaires de la presqu'île de Neringa méritent bien qu'on y consacre un petit séjour… voire un grand ! Klaipėda est connu dans tout le pays pour sa bière Svytyrys (qui signifie « phare »), très souvent qualifiée de « meilleure bière lituanienne ».

Histoire

La région de Klaipėda était à l'origine peuplée de tribus baltes, qui subirent les assauts des Vikings (fin du Ier millénaire), puis l'invasion des chevaliers Teutoniques venus les christianiser dès le XIIIe siècle et qui édifièrent un château sur le delta de la rivière Dane.

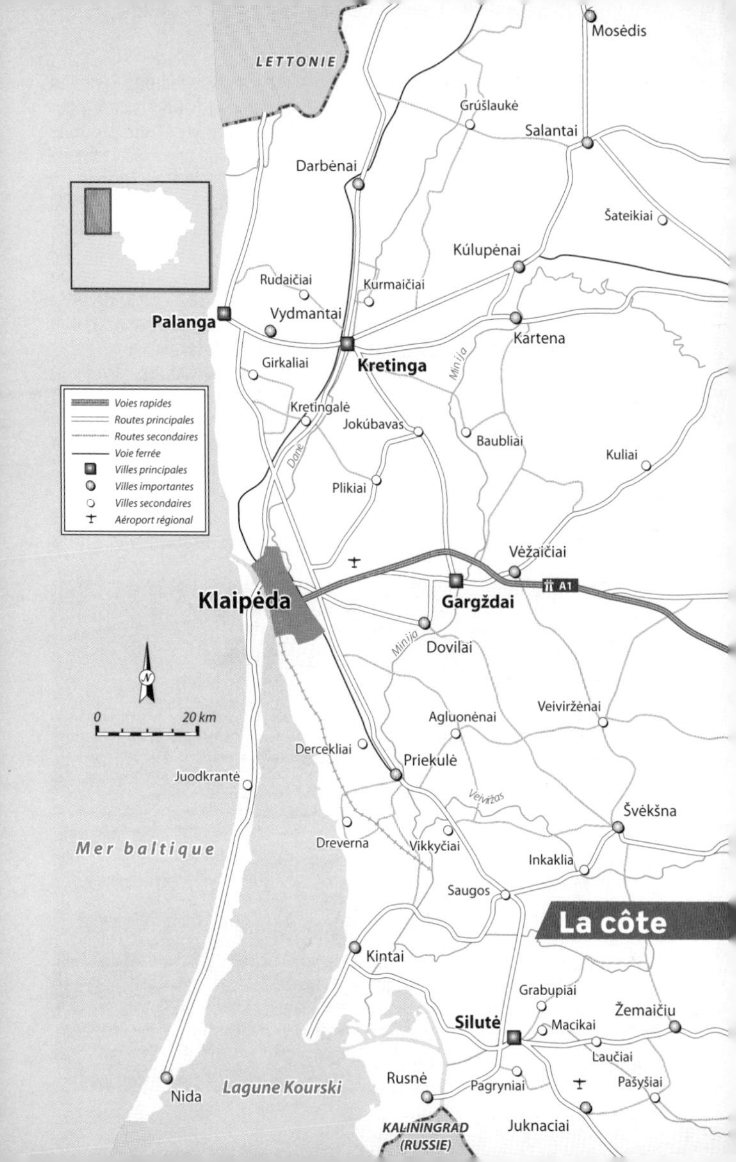
LETTONIE
Mosėdis
Grúšlaukė
Salantai
Darbėnai
Šateikiai
Kúlupėnai
Rudaičiai
Kurmaičiai
Palanga
Vydmantai
Kartena
Kretinga
Girkaliai
Minija
Voies rapides
Routes principales
Routes secondaires
Voie ferrée
Villes principales
Villes importantes
Villes secondaires
Aéroport régional
Kretingalė
Jokúbavas
Baubliai
Danė
Kuliai
Plikiai
Vėžaičiai
A1
Klaipėda
Gargždai
Dovilai
Minija
0
20 km
Agluonėnai
Veiviržėnai
Dercekliai
Priekulė
Juodkrantė
Veiviržas
Švėkšna
Dreverna
Vikkyčiai
Mer baltique
Inkaklia
Saugos
La côte
Kintai
Grabupiai
Žemaičiu
Silutė
Macikai
Laučiai
Rusnė
Pagryniai
Pašyšiai
Nida
Lagune Kourski
KALININGRAD
(RUSSIE)
Juknaciai

Dès lors, Klaipėda était fondé (1252), mais la ville s'appelait alors Memelburg (les chevaliers pensaient qu'ils étaient à l'embouchure du Niémen, appelé Memele).

En 1410, malgré la victoire de la coalition polono-lituanienne contre les chevaliers Teutoniques, Klaipėda resta aux mains des Germains. Base, par la suite, du commerce hanséatique, elle fut intégrée à la Prusse, à partir du XVIe siècle par les descendants des chevaliers Teutoniques. Elle devint presque une enclave germanique au sein de la Lituanie, et ses habitants originels furent déchus de leurs propres droits et nationalités. Pendant une courte période (1629-1635), les Suédois occupèrent la ville, puis la détruisirent.

Au XVIIIe siècle, Klaipėda redevint un port commercial florissant, pour le bois notamment et les produits agricoles, passant une courte période sous le joug de la Russie tsariste (1757-1762). Après l'assaut, puis le retrait des troupes napoléoniennes, la ville devint la résidence des rois prussiens, et même la capitale de la Prusse (en 1807 et 1808). A la fin du XIXe siècle, elle faisait partie intégrante du IIe Reich.

Le traité de Versailles, après la Première Guerre mondiale, mit fin à cette situation et plaça la ville sous contrôle français. En 1923, la jeune Lituanie, indépendante après d'âpres combats, récupéra enfin Klaipėda. Mais la volonté d'Hitler de reprendre « Memel », en 1939, devait être à

A vélo sur la côte Balte

Un parcours à faire à vélo longe depuis quelques années la côte lituanienne à partir de la frontière avec la région de Kaliningrad jusqu'à la frontière avec la Lettonie. Le parcours est indiqué par des panneaux bleus avec le symbole d'un vélo et le numéro 10, indiquant la route. Pour plus de renseignements, s'adresser au bureau de l'organisation BalticCycle à Klaipėda. Vous recevrez toutes les informations nécessaires à l'organisation de votre aventure. Vous pourrez aussi y louer des vélos, acheter des cartes et participer aux tours guidés autour de la lagune de Courlande. Cette fascinante route de 216 km au total traverse les dunes et les forêts de pins au bord de la mer Baltique en touchant trois différentes voies d'eau : la mer Baltique, la lagune de Courlande et le fleuve Niémen. La route consiste en trois parties différentes au départ de Klaipėda :

- **De Klaipėda jusqu'à Nida (52 km)** *pour découvrir la presqu'île de Neringa avec son paysage unique mélangeant des dunes de sable fin à des forêts de pins anciennes où se promènent cerfs, élans et sangliers, ses villages de pêcheurs aux maisons typiques et ses plages à perte de vue.*
- **De Klaipėda jusquà la frontière avec la Lettonie (49 km).** *Vous longerez la mer Baltique, le lac Plazė, d'origine glaciale, les dunes de Nemirseta jusqu'à Palanga, capitale du divertissement estival et Šventoji.*
- **De Klaipėda jusqu'à l'île de Rusn (115 km).** *Ce parcours permet de traverser des pittoresques villages de pêcheurs, souvent bâtis au fil de l'eau, comme Mingė, surnommé « la Venise de Lituanie » et termine au parc naturel du delta du Niémen, véritable paradis pour les passionnés d'ornithologie.*

Klaipėda est partagée par la rivière Danė.

l'origine d'un des épisodes du début de la Seconde Guerre mondiale. Les nazis occupèrent la région ; Klaipėda passa de nouveau aux mains des Allemands, qui en firent une base navale.
En 1945, lors de la défaite allemande, Klaipėda subit les assauts de l'armée Rouge et fut dévastée par de terribles bombardements. Au lendemain de la guerre, il ne restait que 4 habitants. L'ancienne ville prussienne fut ensuite reconstruite et repeuplée par les soviétiques, qui chassèrent ou déportèrent les populations germaniques. En 1991, la Lituanie retrouva son indépendance. En août de cette année-là, la statue de Lénine à Klaipėda était déboulonnée.

Aujourd'hui

La ville a retrouvé sa liberté. Son intense activité portuaire ne l'empêche pas d'être également un centre culturel, attrayant et agréable à visiter (ne pas manquer sa vieille ville et ses maisons à colombages qui en font la réputation). Klaipėda attire de plus en plus de touristes – en majorité allemands – à la recherche d'un passé révolu. Souvent Klaipėda est désigné par son ancien nom allemand, Memel, ce qui n'est pas pour ravir grand nombre des habitants.

■ AQUARIUM ET DELPHINARIUM (LIETUVOS JŪRŲ MUZIEJUS)

Situés juste en face, sur la presqu'île de Neringa (obligation de prendre le ferry pour s'y rendre). C'est le seul musée de ce type dans les pays Baltes. A part la visite de l'aquarium, les visiteurs peuvent assister à de nombreux spectacles de lions marins et de dauphins. Les familles avec enfants apprécieront beaucoup cette visite !

■ **CIMETIÈRE JUIF (ŽYDŲ KAPINĖS)**

Avant l'occupation de la ville de la part des Allemands en mars 1939, Klaipėda possédait une population juive assez significative qui fut décimée pendant la guerre. Aujourd'hui, en bas du Centre culturel juif, une plaque rappelle aux visiteurs que jusqu'en 1939 se trouvait là le cimitière juif. Il ne reste que quelques pierre tombales.

■ **ÉGLISES DE KLAIPĖDA**

Détruites pendant la Seconde Guerre mondiale, les églises de Klaipėda n'ont évidemment pas été reconstruites par les Soviétiques. De nos jours, les seules que l'on puisse voir sont la récente église Saint-Jean (luthérienne-évangéliste, au Pylimo 2) et l'église Sainte-Marie (Rumpiškės 6a), datant de 1960 (c'était la seule église construite dans les pays Baltes à l'époque soviétique). Les Soviétiques ont détruit la tour pour transformer ce lieu de culte en salle de concerts. La vue depuis la tour, aujourd'hui reconstruite, est phénoménale et mérite la montée des 250 marches (se renseigner à l'office de tourisme).

■ **GALERIE D'ART P. DOMŠAITIS**

Cette galerie présente la plus grande collection d'œuvres d'art de Franz Domscheit (1880-1965), né à Klaipėda quand la ville s'appelait encore Memel. Après sa rupture avec Hitler, il prit le nom de Pranas Domšaitis.

■ **MUSÉE DE LA FORGE (KALVYSTĖS MUZIEJUS)**

Pour découvrir la forge en fonctionnement et les expositions de fer forgé de la Lituanie Mineure.

■ **MUSÉE D'HISTOIRE DE LA PETITE LITUANIE (MAŽOSIOS LIETUVOS ISTORIJOS MUZIEJUS)**

Le musée a été baptisé du nom que l'on donnait autrefois à la région de Klaipėda et de Kaliningrad.

Région de Klaipéda

Parc régional Pajūrio

Situé entre Klaipėda et Palanga, ce parc de 5 603 ha, incluant 3 000 ha de mer, est le plus petit et le seul parc de Lituanie sur la côte, comme son nom l'indique (pajūris signifie « bord de mer »). Les dunes sont protégées, ainsi que sa flore, la forêt, les poissons, les animaux. C'est un endroit idéal pour les ornithologues, car le parc est un haut lieu de rassemblement des oiseaux migrateurs sur leur trajet nord-sud, notamment en mai et en novembre. On peut pratiquer la plongée sous-marine, car au large des côtes du parc, on trouve des navires de guerre allemands datant de la Seconde Guerre mondiale. Il est possible de garer sa voiture tout le long du parc. Il y a de très nombreuses pistes cyclables et le vélo reste le meilleur moyen d'exploration. De très nombreux panneaux vous expliquent tout ce que l'on peut voir aux alentours. Il est possible de pêcher dans le parc, mais il faut se munir d'un permis.

Palanga

En été, c'est le Saint-Tropez lituanien. En revanche, en hiver, l'endroit est mort et le mot est faible ! Situé à 30 km au nord de Klaipėda et proche de la frontière lettonne, Palanga, un ancien village de pêcheurs et de ramasseurs d'ambre, est devenu populaire au XIXe siècle en tant que station de santé pour les curistes, attirés par ses eaux, son air vivifiant et ses sanatoriums.

Cette agréable cité balnéaire, dont la longue plage de sable fin (plus de 10 km) et les dunes sont envahies par des milliers de touristes pendant la période estivale, se laisse plus facilement visiter aux premiers rayons de soleil du mois de mai : un air et un calme rares règnent alors dans ses rues silencieuses. Ses grandes allées de pinèdes, qui rappellent parfois les villes du bord de mer landaises, sont bordées de magnifiques maisons de bois, colorées et soigneusement rénovées. Et si l'on aime l'ambiance que drainent avec elles les foules estivales, Palanga est la destination prioritaire en plein été. Il vaut mieux réserver à l'avance son hôtel pendant cette période. L'histoire de la vieille ville de Palanga remonte au XIIe siècle, quand le roi du Danemark, Voldemar Ier, arriva ici avec ses armées. Les annales allemandes mentionnent Palanga à partir de 1253, époque à laquelle les Livoniens et les Koures signèrent un accord sur la région. Entre le XVe et le XVIIe siècle, Palanga devint un port lituanien important ; en 1710, il fut détruit par l'armée suédoise. Au XIXe siècle, Palanga commença à être connu comme station balnéaire. « Palange », en lituanien, veut dire « rebord de fenêtre » ; or, disent les anciens, il y a longtemps, les maisons de bois étaient construites si près de la mer que les vagues arrivaient jusqu'aux fenêtres...

■ CIMETIÈRE ETHNOGRAPHIQUE DE ANAIČIAI (ETNOGRAFINĖS ANAIČIŲ KAPINĖS)

Ce cimetière mérite absolument une visite. Il présente une collection extraordinaire de tombes du XIXe et du début XXe siècle témoignant de la complexité ethnique de la région.

Découverte de Palanga.

Les inscriptions sont en lituanien, allemand, polonais et aussi dans un ancien dialecte de Courlande. Le cimetière est situé à quelques kilomètres au sud de Palanga, après le petit village de Nemirseta. Comme il n'y a pas d'indications, il vaut mieux s'y rendre en taxi.

■ **ÉGLISE GOTHIQUE DE L'ASSOMPTION (ŠV. MERGELĖS ĖMIMO Į DANGŲ BAŽNYČIA)**
Sise à l'entrée de la vieille ville et construite en 1908. Vous ne manquerez pas de la voir se dresser avec ses briques rouges.

■ **MAISON DU DR JONAS ŠLIŪPAS (DR. JONO ŠLIŪPO MEMORIALINE SODYBA)**
C'est la maison du grand écrivain et philosophe lituanien (1861-1944).

■ **MUSÉE DE L'AMBRE (GINTARO MUZIEJUS)**
Le musée retrace l'épopée de « l'or balte ». Il est situé en plein cœur du parc botanique, dans l'ancien palais des Tiškevičius (Tyszkiewicz en polonais). Il réunit des milliers de pièces rares, comme celle renfermant un vertébré, et le troisième plus gros bloc d'ambre du monde (3,524 kg). Incontournable !

■ **PARC BOTANIQUE (BOTANIKOS SODAS)**
Ce magnifique parc de 100 ha créé en 1899 se trouve à l'extrémité sud de la rue Vytauto d'après le projet du paysagiste et botaniste français Edouard-François André.

Šventoji

A 12 km au nord de Palanga, à l'embouchure de la rivière Šventoji qui lui donne son nom, Šventoji est un ancien petit village de pêcheurs à moins de 30 km de la frontière lettonne. Šventoji, c'est Palanga en pire ! C'est-à-dire qu'il y a encore plus de monde en été, dans ce petit village complètement délabré. Pourtant ce sont principalement des familles qui préfèrent le calme de ce

Musée de l'ambre de Palanga.

village aux grands chambardements de Palanga… Mais quand le village est plus calme, c'est l'occasion d'une visite, à vélo ou en bus. Sur le port, on ne manque pas la statue des « filles du pêcheur » ; au nord, c'est l'observatoire astronomique (Žemaičių alka) qui ne manque pas d'intérêt.

Kretinga

Tout en prenant plaisir à traverser campagnes et villages paisibles, on fera bien de s'arrêter à Kretinga (10 km à l'est de Palanga) pour son Musée folklorique.

■ **MUSÉE FOLKLORIQUE (KRETINGOS MUZIEJUS)**

Il mérite un détour, tout comme l'agréable restaurant dans le jardin d'hiver de la noble demeure, pour ses bâtisses du XVIIIe-début XIXe siècle et son monastère franciscain. L'exposition du musée comprend des vestiges archéologiques, une belle collection d'objets de la vie paysanne et des masques traditionnels du carnaval lituanien.

Delta du Niémen

Moins touristique que la presqu'île de Neringa en face, la côte intérieure de la lagune est tout aussi attrayante, avec le charme discret de ses petits villages de pêcheurs et ses campagnes paisibles. Ses hôtels et ses restaurants, moins nombreux, sont cependant tout aussi accueillants. C'est un endroit idéal pour passer un week-end voire une semaine complète de repos, et l'on y a une superbe vue sur les dunes de la presqu'île en face. Il est préférable de disposer de son propre moyen de transport au départ de Klaipėda pour visiter cette partie est de la lagune (se méfier des inondations qui, parfois, rendent impraticables les petites routes entre les villages, surtout en automne et au printemps). Prendre la route au sud de Klaipėda dans la direction de Šilutė ; on traverse la petite ville de Priekulė, des villages de pêcheurs comme celui de Kintai ou de Rusnė (à la pointe du delta du Niémen), la péninsule sauvage de Ventė (centre d'observation ornithologique, célèbre, comme son nom l'indique, pour ses tempêtes qui détruisirent en leur temps l'église), le très pittoresque Mingė (la petite Venise de Lituanie), ou encore la plus grande et la plus touristique de ces localités, Šilutė. Les activités de la région sont la pêche, la détente, l'observation des oiseaux, et des découvertes de la région en bateau. Cette région a été rendue tristement célèbre par la présence de deux camps de concentration nazis (Macikai et Pagėgiai).

Šilutė

Jusqu'en 1923, la ville était connue sous le nom de Heydekrug et appartenait à l'Allemagne. On ne manquera pas le monument commémorant l'annexion de la région à la Lituanie, l'église évangélique de 1926 et l'église catholique de 1850.

Rušnė

Ce petit village est le seul de Lituanie à être situé sur une île, à l'embouchure du Niémen et à la frontière russe au mirador désuet. L'ancien village de pêcheurs dispose de onze gîtes ruraux, tous très charmants.

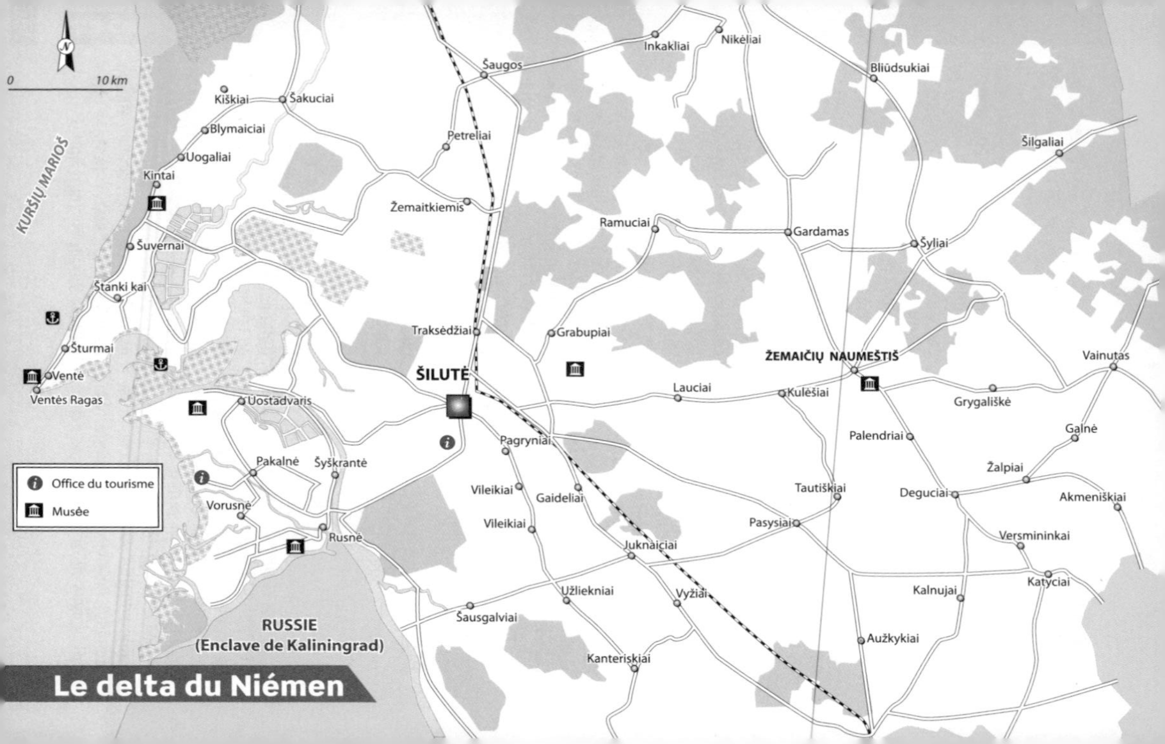
Le delta du Niémen
0
10 km
N
KURŠIŲ MARIOŠ
Office du tourisme
Musée
RUSSIE
(Enclave de Kaliningrad)
ŠILUTĖ
ŽEMAIČIŲ NAUMEŠTIS
Šaugos
Inkakliai
Nikėliai
Bliūdsukiai
Šilgaliai
Kiškiai
Šakuciai
Blymaiciai
Petreliai
Uogaliai
Kintai
Žemaitkiemis
Ramuciai
Gardamas
Šyliai
Šuvernai
Štanki kai
Traksėdžiai
Grabupiai
Šturmai
Vainutas
Ventė
Ventės Ragas
Uostadvaris
Lauciai
Kulėšiai
Grygališkė
Palendriai
Galnė
Pagryniai
Pakalnė
Šyškrantė
Žalpiai
Vileikiai
Gaideliai
Tautiškiai
Deguciai
Akmeniškiai
Vorusnė
Vileikiai
Pasysiai
Versmininkai
Rusnė
Juknaiciai
Katyciai
Užliekniai
Vyžiai
Kalnujai
Šausgalviai
Aužkykiai
Kanteriskiai

Ventės ragas

Situé sur une péninsule dans la partie orientale de la lagune de Courlande, le cap Ventės est connu comme un des principaux endroits pour le birdwatching en Europe. Chaque année, en septembre et en octobre, des millions d'oiseaux migrateurs passent par ici ! Une station pour l'observation des oiseaux a été ouverte en 1929 par le professeur Tadas Ivanauskas et est toujours en fonction. Le promontoire, avec son phare solitaire et son atmosphère immobile, vaut sûrement la visite pour son paysage enchanteur. La vue sur la lagune et sur les dunes de Nida et Preila, juste en face, est magnifique. Le paysage autour est plongé dans un calme et un silence presque irréels, tout comme l'eau de la lagune semble presque ne pas bouger. A côté du phare se trouve un petit musée ornithologique sur les oiseaux qui peuplent la lagune.

C'est le cœur du parc régional. L'accès est souvent coupé en automne et au printemps du fait des inondations des terres très marécageuses. Les terres ne sont d'ailleurs pas cultivables. L'église du village date de 1809. C'est ici que le poisson fumé de la région est le meilleur.

■ PARC RÉGIONAL DU DELTA DU NIÉMEN (NEMUNO DELTOS REGIONININS PARKAS)

C'est ici que vous trouverez un permis de pêche (10 Lt). Exposition gratuite, information sur le parc, jeux pour enfants à l'entrée.

Mingė

La très pittoresque Mingė, surnommée la petite Venise de Lituanie, traversée par la rivière Mingė, devient très à la mode. Ses quelques maisons s'arrachent pour deux millions d'euros ! Et le port est très vite encombré en saison. On pourra trouver des bateaux pour se rendre à Nida pour la journée. L'endroit est charmant : des maisons en bois, de toutes les couleurs, plongées dans une végétation verdoyante, au fil de l'eau. Ici règne une paix absolue. C'est un paradis pour les passionnés de *birdwatching* et de la pêche.

Švėkšna

Ce village est sublime, tant par ses maisons en bois aux couleurs insolites que par son église gothique monumentale (la plus grande de son époque), en brique rouge. Entrez à l'intérieur, c'est magnifique. Une excursion depuis Klaipėda pour la journée est fortement recommandée. Le cimetière, à la sortie de la ville, mérite également un coup d'œil : fleuri, coloré et très chargé. Le parc dans le village est un vrai havre de paix.

Presqu'île de Neringa

Cette longue (98 km) et étroite bande de terre sépare la lagune de Courlande et la mer Baltique (de certains endroits, on peut voir les deux simultanément). Avec ses vastes forêts de pins et de bouleaux, habitées par les cerfs, les élans ou les sangliers, avec ses longues plages bordées de dunes, elle enchantera les amoureux de la nature.

Une réserve naturelle à préserver

Il convient de se souvenir que la presqu'île est une réserve naturelle depuis 1991 et que certaines règles y sont à respecter :

- ***ne pas cueillir** de plantes ou de fleurs ;*
- ***respecter** les emplacements prévus pour le camping ou pour les feux de camp ;*
- ***rester** dans les zones autorisées, que ce soit au cours des excursions à travers les dunes ou lors des déplacements en voiture ;*
- ***ne se garer** que sur les emplacements prévus à cet effet ;*
- ***rester silencieux**, ne pas effrayer les oiseaux et faire attention à leurs nids ;*
- ***ne pas jeter** vos déchets en dehors des poubelles mises à disposition ;*
- ***ne pas fumer** dans la forêt.*

Géologiquement parlant, la presqu'île de Neringa, formée il y a 5 000 ans, est la partie la plus récente du pays. Elle fait 98 km de long et 2 km en moyenne de large. Elle se divise en deux parties, puisque au sud, après la partie lituanienne de 50 km de long allant jusqu'à Nida, se trouve la frontière russe avec l'enclave de Kaliningrad (l'ancienne Prusse-Orientale).

Histoire. Une légende raconte que, en des temps reculés, il n'existait pas de presqu'île et qu'une géante, Neringa, ayant pitié des pêcheurs du lagon, bâtit avec du sable cette barrière de protection, afin de mettre leurs ports à l'abri des tempêtes de la Baltique et de leur permettre ainsi d'aller pêcher en haute mer. La presqu'île de Neringa fut territoire germanique et prussien jusqu'à la Première Guerre mondiale. Thomas Mann y séjourna avec sa famille, entre 1930 et 1932, et y écrivit l'un de ses ouvrages, *Joseph et ses frères*, dans un cottage situé à la sortie de Nida et que l'on peut visiter.

La presqu'île aujourd'hui. Peuplée en hiver par moins de 3 000 habitants dispersés dans des petits villages de pêcheurs, la presqu'île devient, pendant les trois mois d'été, un important lieu de villégiature pour de nombreux touristes, principalement lituaniens, russes et allemands. C'était, pendant la période soviétique, le lieu de vacances des apparatchiks communistes. Depuis, la population vit essentiellement du tourisme qui vient ici chercher le calme et la tranquillité. Le tourisme est essentiellement familial et tourné vers la nature : le cadre est idéal pour les enfants qui peuvent profiter des joies du plein air en toute sécurité.
La municipalité de Neringa comprend les villages de Juodkrantė, Pervalka, Preila et Nida (le centre de la municipalité). Smiltynė (où arrive le ferry)

est administrativement rattaché à Klaipėda. Tous les villages de la presqu'île font face au lagon. Les infrastructures et les activités de loisirs y sont bien développées : sports nautiques, équitation, excursions à vélo...

En 2000, le site de la presqu'île de Neringa a été inscrit sur la liste du patrimoine mondial de l'Unesco. Depuis, le parc national régit toute la presqu'île et il est interdit de construire de nouveaux sites. L'attrait touristique et les convoitises ont fait grimper les prix des terrains qui sont aujourd'hui de l'ordre de 1 500 €/m².

Smiltynė

C'est le début de la réserve, des plages et des dunes. A l'arrivée du ferry, ne pas manquer le musée (Kuršių Nerija Museum), consacré à la faune et la flore de la région, l'exposition de villages de pêcheurs du XIXe siècle, à proximité, et la visite de trois chalutiers, dont un à moteur. C'est gratuit et grandeur nature. Tout au bout, le musée de la Mer et le delphinarium raviront les passionnés.

A Smiltynė, on trouve des bus et minibus qui permettent de poursuivre la route en direction des autres villages de la presqu'île (les deux stations les plus importantes étant Juodkrantė et Nida). Si l'on veut continuer à travers la réserve jusqu'à Kaliningrad, ne pas oublier que le visa russe est nécessaire pour passer la frontière après Nida.

Sur la route, une fois le poste d'entrée du parc passé, on ne peut que constater le paysage désolant, ravagé par le plus grand incendie que la région n'ait jamais connu. En juin 2006, les flammes se sont propagées durant une semaine. Des pompiers de Kaliningrad et de la Lituanie tout entière sont parvenus à éteindre le brasier, qui a brûlé 150 ha de forêt. Heureusement, aucun blessé ni mort n'a été recensé.

Isthme de Courlande sur la presqu'île de Neringa.

AQUARIUM ET DELPHINARIUM (LIETUVOS JŪRŲ MUZIEJUS)

Situé tout au bout de la presqu'île de Neringa, ce musée se trouve dans l'ancienne forteresse de Kopgalis, construite en 1865 pour protéger l'entrée du port de Klaipėda. En 1897, les Allemands la transforment en lieu d'habitation pour les civils. En 1939, les nazis en font un dépôt de munitions pour l'armée de l'air. Lors de l'occupation soviétique, cette forteresse était au cœur de la zone frontière interdite. Aujourd'hui, elle accueille un musée tourné vers la mer, la faune et la flore marines et l'histoire de la navigation. C'est le musée le plus visité de Lituanie, avec quelque 400 000 visiteurs par an ! Les informations sur les poissons défilant sous vos yeux, dans de grands aquariums, sont données en anglais. A l'extérieur, des bassins permettent de découvrir pingouins, phoques et otaries et d'assister à leurs repas. Le delphinarium ravira quant à lui petits et grands, avec des spectacles de dauphins et de phoques.

Juodkrantė

A 18 km au sud de Smiltynė, le petit village de pêcheurs de Juodkrantė aligne ses maisons de bois aux jardins accueillants. Station balnéaire en été (partie centrale du village autour de la jetée et de l'arrêt de bus), plus calme que sa voisine Nida, Juodkrantė est un lieu idéal pour se reposer et se promener, avec ses plages de sable blanc côté baltique (suivre les pistes, ou kelias, pour s'y rendre à travers la forêt et les dunes), et ses nombreuses possibilités d'activités sportives.

- **De la colline des Sorcières (Raganų kalnas)**, on a une belle vue sur la presqu'île. Cette colline est truffée de sculptures païennes en bois de tradition lituanienne, œuvres d'artistes locaux collectées depuis 20 ans, qui font référence aux légendes locales.
- **Sur le quai,** 31 sculptures d'artistes internationaux offrent un itinéraire agréable en vélo ou à pied (2,5 km).
- **Au nord de la ville, de la lagune de l'Ambre**, le site d'où était extrait l'ambre à partir de 1860, part un chemin à travers les bois pour la dune Lapnugaris de 53,2 m de haut.
- **Dans la partie la plus ancienne du village**, où se dresse l'église gothique en brique, on ne manquera pas de se rendre à **la galerie des girouettes** spécifiques de la région (Rėzos 13).
- **Population :** 700 habitants.

Nida

Situé à 50 km de Smiltynė et à 4 km de la frontière russe et de ses interminables dunes, Nida est la principale station balnéaire de la presqu'île de Neringa. Village de pêcheurs à l'origine, il est devenu un centre touristique à partir de la fin du XIXe siècle, du temps où il était encore prussien. De nombreux artistes venaient chercher l'inspiration dans son cadre naturel et paisible. Ainsi, dans les années 1930, Nida fut le refuge de l'écrivain allemand Thomas Mann ; Jean-Paul Sartre y séjourna également.

Ville de Nida.

Maison de Nida.

Le Sahara de Lituanie

C'est ainsi que sont communément dénommées les dunes de Nida ! Il est vrai qu'à certains endroits, au bout du village de Nida, vers la frontière russe, on a l'impression de se trouver devant un paysage maghrébin. Etonnant ! Ces dunes pourtant risquent aujourd'hui de disparaître de la Baltique. Alors qu'on redoutait auparavant pour les villages l'invasion du sable, les arbres plantés au siècle dernier pour les protéger ont eu également pour effet d'amoindrir son accumulation sur les dunes, dont la hauteur depuis décroît d'année en année. Pour l'instant, leur hauteur culmine à 60 m.

La station s'étend sur 2 km le long de la lagune, mais le centre touristique est situé à son extrémité sud, autour du port de plaisance, juste avant la forêt et les dunes. Nida compte une population de 2000 habitants qui augmente sensiblement pendant l'été. Toutefois, la localité reste calme et paisible.

■ FERME ETHNOGRAPHIQUE

Dans une maison de pêcheurs datant de la fin du XIXe siècle.

■ GALERIE-MUSÉE DE L'AMBRE (GINTARO GALERIJA MUZIEJOS)

Musée et magasin pour décourvrir l'ambre et en acheter.

■ MAISON DE L'ÉCRIVAIN THOMAS MANN (RAŠYTOJO THOMO MANNO MEMORIALINIS MUZIEJUS)

Thomas Mann passa deux étés à Nida, en 1930 et 1931, dans ce joli cottage donnant sur la lagune. En chemin, on remarquera l'église protestante néogothique et son cimetière truffé de *krikštai*, des monuments funéraires en bois, typiques de la région.

■ MUSÉE D'HISTOIRE DE NERINGA (NERINGOS ISTORIJOS MUZIEJUS)

Pour découvrir l'histoire de la lagune.

Ville de Nida.

Žemaitija

La région de Žemaitija, des Basses Terres, située au nord-ouest de la Lituanie, est riche en réserves naturelles et attire de plus en plus de touristes qui rêvent de calme. L'accès à la réserve de Kamanos, située au nord du pays, est très limité afin de préserver plusieurs de ses espèces animales et végétales en voie d'extinction. Le parc de Žemaitija peut constituer à lui seul l'intérêt du voyage et mérite donc une petite visite.

Telšiai

Au cœur de la région de Žemaitija, sa capitale, Telšiai, est un havre de paix posé sur un ensemble de sept collines, en bordure du lac Mastis. L'Ordre livonien fait état de ce village dans ses chroniques dès 1450. Au XVIIIe siècle, la ville se développe, avec la construction par les Bernardins, d'une église magnifique et d'une abbaye. De 1860 à la veille de la Seconde Guerre mondiale, Telšiai devient un centre d'étude du judaïsme, connu à travers le monde.

La ville en elle-même ne constitue pas un grand intérêt au voyage, mais une étape fort agréable. Ce sont les environs de Telšiai qui méritent d'être explorés. Les parcs régionaux et nationaux de la région, ainsi que les villages des environs enchanteront les amoureux de la nature.

■ CATHÉDRALE BAROQUE SAINT-ANTOINE-DE-PADOUE (ŠV. ANTANO PADUVIEČIO KATEDRA)

En remontant Respublikos, en direction de la station de bus, sur la gauche, elle surplombe la ville. Son intérieur rose et doré mérite le coup d'œil. Elle date de 1762. En remontant vers le nord la rue Birutės et au bout de la rue Žalgirio se trouve l'église orthodoxe du XIXe siècle.

■ ÉGLISE

En ville, face à l'office du tourisme, l'église offre un magnifique point de vue.

■ MUSÉE ALKA (MUZIEJUS ALKA)

Il retrace l'histoire de la région : archéologie, ethnographie, faune et géologie. On peut y admirer de nombreux animaux empaillés, dont l'ours, symbole de la région. Le panorama, du haut de la terrasse, offre un beau spectacle, exception faite des barres soviétiques en face.

■ MUSÉE ETHNOGRAPHIQUE DE ŽEMAITIJOS (ŽEMAITIJOS KAIMO MUZIEJUS)

Très rococo, mais sans nul doute le point d'intérêt le plus important de la ville. Ce musée en plein air retrace la vie des paysans de la région au XIXe siècle. Seize maisons et un moulin en bois, sur une surface de 15 ha, au sud du lac Mastis, font l'objet d'une visite agréable. La reconstitution est de très bonne qualité : costumes en lin, intérieurs, chambres et berceaux, cuisines.

LETTONIE
Žemaitija
Mažeikiai
Skuodas
Barstyčiai
Vadagiai
Mosėdis
Seda
Venta
Venta
Akmenė
Naujoji Akmenė
Žagarė
Žeimelis
Joniškis
Pakruojis
Telšiai
Palanga
Kretinga
Plungė
Kuršėnai
Šiauliai
Klaipėda
Rietavas
Varniai
Užentis
Radviliškis
Šeduva
Gargždai
A1
Laukuva
Kelmė
Tytuvėnai
Mer baltique
Švėkšna
Kaltinėnai
Šilalė
Kintai
Raseiniai
Šilutė
Rusnė
Nida
Tauragė
A1
Ariogala
Lagune Koursk
Pagėgiai
0
20 km
N
Voies rapides
Routes principales
Routes secondaires
Voie ferrée
Villes principales
Villes importantes
Villes secondaires
Aéroport régional

Varniai

A 30 km au sud de Telšiai, le petit village de Varniai, ancien siège de l'évêché de Samogitie, fondé en 1421 par le grand-duc Vytautas, est au cœur du parc régional de 33 800 ha. Le diocèse a été créé pour marquer la conversion du pays tout entier au catholicisme. Depuis, Varniai est l'un des principaux sièges de la culture lituanienne.

Parc national de Žemaitija

A l'est de Telšiai, Žemaitija est connue sous le nom de Samogitie, la région des Terres Basses, au nord-est du pays. Créé en 1991, le parc régional couvre 21 720 ha dans une région d'exploitations agricoles et de forte tradition religieuse. Le parc est traversé par trois rivières, Minija, Bartuva et Venta, et compte 25 lacs dont celui de Plateliai est le plus grand avec une surface de 1205 ha. Le territoire est dominé par des collines de 150 à 190 m de hauteur, et est riche en forêts et zones marécageuses. La découverte du parc se fait à pied, à vélo ou en voiture. Quelques chemins de randonnée sont aménagés (de 1 km à 4,10 km). Il sera facile de louer vélos, barques, canoës et pédalos. Le parc se prête bien au tourisme actif, de la randonnée aux sports aquatiques sur ses nombreux lacs, à la pêche et au *birdwatching*. Mis à part le patrimoine naturel exceptionnel, le parc permet de découvrir les traditions anciennes de cette région dont la population locale a préservé son dialecte, ses habits traditionnels et ses anciens us et coutumes. Plusieurs musées retracent l'histoire ethnographique et anthropologique du coin. En voyageant par cette région, on sera surpris par la quantité de croix en bois situées aux coins des rues ou à côté des arbres, dans les forêts. La Lituanie et plus précisément la région de Samogitie avait eu, dès l'époque de sa conversion au christianisme jusqu'à nos jours, une prédilection particulière pour les croix en bois. Au XIXe siècle, les croix en Samogitie étaient si denses, que l'espace qui les séparait ne dépassait pas quelques dizaines de mètres. Leur construction avait augmenté sensiblement à partir de l'annexion de la Lituanie à l'Empire russe à la moitié du XIXe siècle. A l'époque, les autorités du tsar les avaient interdites, c'est pourquoi ces croix deviennent rapidement un des symboles de l'identité lituanienne dans cette région qui était le principal bastion d'opposition à toute tentative de polonisation d'abord et de russification ensuite. Les croix représentent le plus souvent le Christ et ont des ornements empruntés au passé païen du pays, comme le soleil ou l'oiseau. Du reste, la Samogitie a été la dernière région lituanienne à avoir embrassé le christianisme en 1413.

Le parc contient aussi des monuments naturels dont le très impressionnant frêne de Plateliai. De nombreux sites de l'âge de pierre, des tertres, des autels, montrent que la région est habitée depuis de longs siècles. Jadis, la région de Žemaitija était un haut lieu du paganisme ; sur ses collines avaient lieu des sacrifices dédiés aux divinités de la Nature. Le parc offre un vaste choix de logements. Neuf campings sont amenagés au bord de ses lacs, une vingtaine de fermes et plusieurs *guesthouses* accueillent les visiteurs. Le personnel de l'office du parc saura renseigner les visiteurs sur les sentiers et les différentes activités, y compris la location de vélos et de bateaux, et sur les multiples possibilités de logement. On conseille vivement le séjour chez l'habitant, ce qui vous permettra de plonger à fond dans cette magnifique région.

Plateliai

Situé au bord du lac homonymique, le village de Plateliai est un des plus anciens et des plus riches en histoire de la région, connu depuis le XVe siècle. Un point de vue panoramique se trouve à l'extremité orientale du village. Vous aurez une très belle vue sur le lac Plateliai et ses îles jusqu'aux forêts de Plokštinė. Dans le village se trouve une magnifique église en bois datant 1744, une des plus anciennes en Lituanie. Au sud de l'église, le parc du manoir de Plateliai conserve des maisons originelles du XIXe siècles, plongées au milieu de frênes, érables et tilleuls centenaires. Le frêne le plus grand de Lithuanie se trouve justement ici. Connu sous le nom de Ragata (sorcière), il est impressionnant et mesure 32 m de haut et 7,20 m de diamètre. A Plateliai, on visite également le Musée du manoir, à côté de l'office du parc, qui occupe le grenier et l'étable anciens (lundi-vendredi 10-18, samedi et dimanche 10-17, 6 Lt). L'exposition comprend des vestiges archéologiques, des anciens artefacts locaux et les masques locales de Shrovetide, le Carnaval local. Ceux qui sont intéressés aux métiers d'autrefois pourront visiter un vieux atelier de tissage et essayer les anciennes machines à tisser, assistés par un artisan local. Plateliai est un excellent point de départ pour la découverte du parc.

- **Žemaicių Kalvarija,** à 15 km au nord de Plateliai, mérite une visite à l'occasion du festival religieux d'été mais pas seulement. Ce petit bourg charmant est connu depuis 1642 quand on y construit les stations du chemin de croix, composé de dix-neuf chapelles, sur un parcours de 4,50 km, illustrant l'histoire du Christ. Portée ici de rome en 1640, l'icône miraculeuse de la Vierge se trouve sur l'autel majeur de la basilique. Le musée du poète Vytautas Mačernis expose sa vie et sa création (du lundi au vendredi de 9h à 17h, donation).

- **A 3,5km de Žemaicių Kalvarija**, **Gardai Oz** est une forme de dépression à côté de la rivière Varduvos. Cette sorte de digue en crête en forme de demi-cercle est le résultat de la présence ici d'un glacier il y a environ 12 mille ans. L'eau du glacier fondu a rempli la dépression.

A Plokštinė, l'ancienne base militaire soviétique secrète, qui abritait quatre têtes nucléaires bien plus puissantes que celle d'Hiroshima, jusqu'en 1978, fait encore froid dans le dos. Les soviétiques avaient choisi ce site, dès le début des années 1960, pour la proximité du lac et les besoins en eau que ce genre de missile nécessitait et sa position stratégique : vers l'Europe. Voir avec le centre d'information pour la visite.

A Bukantė, on pourra visiter la maison de l'écrivain Žemaitė et découvrir son œuvre.

Le musée d'Art folklorique et ethnographique, à Godeliai, présente des sculptures et des peintures. La galerie d'art de Leonardas Černiauskas se trouve dans un ancien moulin, à Brabungėnai.

Situé sur le lac homonymique, non loin de Plateliai, Beržoras est un ancien village qui bien conserve son architecture traditionnelle, notamment sa belle église en bois de 1747.

A l'ouest du parc, à 5 km de Salantai, une halte s'impose dans le fameux et étrange jardin Orvydas, avec ses sculptures tombales et ses icônes.

A quelques kilomètres au nord, à Mosėdis, un musée unique de pierres sculptées ne manquera pas de vous surprendre.

Šiauliai

Située à l'intérieur des terres, la ville ancienne de Šiauliai fut fondée en 1236. Cette année-là, le premier roi de Lituanie, Mindaugas, après avoir unifié tous les chefs de la région, écrasa les chevaliers porte-glaive à la bataille de Šaulė (soleil) et consolida ainsi le pays. Cette victoire influença la naissance du nom Šiauliai et l'image même de la ville du Soleil. Inaugurée par une bataille, l'histoire de Šiauliai continua à être violente au cours des siècles puisque la ville fut détruite et incendiée à maintes reprises. Le plus grand incendie fut celui de 1872, date à partir de laquelle la cité fut en partie reconstruite. Dans la ville, il y a les lacs Talsa, Ginkunai et Rekyva, le dixième plus grand lac du pays. Dès le milieu du XVe siècle, Šiauliai devint une grande ville. Aujourd'hui quatrième ville du pays, elle est un centre industriel connu pour sa mécanique de précision, ses matériels de télévision issus du premier laboratoire radiophonique créé dans le pays, ses ordinateurs, ses bicyclettes... Šiauliai est aussi un centre de formation pour les professeurs de collège, et accueille une branche de l'université technologique de Kaunas. C'est la plus grande ville de la région de Žemaitija, connue dans l'histoire sous le nom de Samogitie.

AUŠROS ALĖJOS RŪMŲ

Exposition dédiée à l'ethnographie et à l'archéologie de la région de Šiauliai et du nord de la Lituanie.

CATHÉDRALE DES APÔTRES-SAINT-PIERRE-ET-SAINT-PAUL (ŠV. APAŠTALŲ PETRO IR PAULIAUS KATEDRA)

Construite au XVIe siècle, brûlée puis reconstruite dans un style Renaissance, elle a gagné son statut de cathédrale en 1997. On peut admirer sur son mur sud le plus ancien cadran solaire de la ville. De là, on a une très belle vue de la ville. En repartant sur la gauche, à la sortie de la cathédrale, sur Ežero, se trouve l'ancien cimetière.

■ ÉGLISE SAINT-GEORGES (ŠV. JURGIO BAŽNIČIA)

Construite en 1908 comme église orthodoxe, aujourd'hui elle est catholique.

■ FONTAINE RŪDĖS

En sortant et en reprenant la rue piétonne, on passera devant la fontaine Rūdės. Et face à vous, l'arche. Avant de passer dessous, levez la tête à gauche, sur le toit au-dessus de la pharmacie, ce sont des chats qui font le décor. A l'intersection de Vilniaus et de Vasario, l'arche est connue dans tout le pays. Elle réaliserait vos souhaits les plus profonds. Il faut donc faire un vœu en la traversant pour qu'il se réalise. Mais si vous revenez sur vos pas sans vous le rappeler, il ne se réalisera pas... A vous de voir !

■ MUSÉE DE LA BICYCLETTE (DVIRAČIŲ MUZIEJUS)

A ne pas manquer ! On y voit l'évolution du vélo depuis le XIXe siècle. Face à certains engins, on se demande comment cela peut rouler... Ce musée existe car la ville est réputée pour son industrie liée au cyclisme.

■ MUSÉE DE LA PHOTOGRAPHIE (FOTOGRAFIJOS MUZIEJUS)

Il présente du matériel mais surtout des expositions qui ne manquent pas d'intérêt. Le problème, c'est que la plupart des renseignements sont en lituanien.

Trouvez les sculptures !

Šiauliai est un vrai petit bijou de sculptures. C'est simple : où que vous alliez, il y en a partout. A voir donc, l'homme au journal, Skaitantis žmogus (Tilžės 151) ; le grand-père et ses petits-enfants, Senelis su anūkais (intersection Tilžės et Prisikėlimo) ; la sculpture de la Maternité, Motinystė, et les trois trolls, Trys nykštukai (intersection Vilniaus et Kaštonų sankryža), pour les principaux, mais il y en a bien d'autres.

A gauche du musée, l'horloge du Coq (Gaidžio laikrodžio), sise à l'intersection avec la rue Tilžės, fait office de lieu de rendez-vous de tous les habitants. Le coq chante à midi et 18h, et accueille les visiteurs dans différents langages. On pourra ainsi entendre « Bienvenue à Šiauliai » en français.

■ MUSÉE DE LA RADIO ET DE LA TÉLÉVISION (RADIO IR TELEVIZIJOS MUZIEJUS)

Gramophones, postes de radio et de télévision font l'attraction. Et en plus de les admirer, on écoute et on regarde, car tout fonctionne encore. L'un des points d'orgue du musée est la déclinaison des produits Tauras, fabricant local de télévisions depuis plusieurs décennies et qui continue à produire de nouvelles gammes intégrant désormais les technologies LCD et LED.

La Colline des Croix près de Šiauliai.

■ **MUSÉE DES CHATS (KATINŲ MUZIEJUS)**

Attention, les allergiques aux chats doivent s'abstenir, car le musée tout entier leur est consacré. Poèmes, peintures et photographies.

■ **PARC SALDUVĖS**

En son cœur, le cadran solaire, haut de 21 m et surmonté d'un archer en bronze, a été édifié en 1986 pour célébrer le 750e anniversaire de la bataille de Saulė, qui fonda la ville. En se dirigeant vers l'hôtel Šiauliai, on remarquera la structure des « Trois Oiseaux ». Il est dit que pour apercevoir ces oiseaux voler, il faut courir autour. Depuis fin 2010, il est possible d'aller admirer une nouvelle sculpture à proximité du lac Talša : un renard en fer, long de 25 m et haut de 7 m.

■ **VILLA DE CHAIM FRENKEL (CH. FRENKELIO VILOS)**

Le palais a été construit en 1908 et apartenait à Chaim Frenkel, industriel local. Entre 1920 et 1940, il abritait une école judaïque. A l'époque soviétique, il devint un hôpital militaire. Une pièce est consacrée à l'histoire juive de la région. Le reste de l'exposition est dédié à l'histoire de la Petite Lituanie et à celle de la ville depuis le XIXe siècle. Le bâtiment en lui-même mérite le déplacement.

La colline des Croix

Tout bon visiteur de Šiauliai se rendra à la colline des Croix. D'après ce que l'on entend, on s'attend à un très grand site. En réalité la colline est toute petite mais ne manque pas d'intérêt pour autant.

Eriger des croix remonte au XVIe siècle, quand les gens commencèrent à sculpter des monuments

en bois devant leur maison comme symbole de croyance en Dieu.
En 1831, les habitants de Šiauliai se rebellent contre l'oppresseur russe. Il est dit qu'en commémoration des rebelles exécutés, les habitants de la région ont construit un mémorial en haut de la plus haute colline des environs (l'actuelle colline). En 1878, un journal mentionne pour la première fois « la colline des 130 croix ». Depuis, elle est devenue le symbole de la croyance et de l'espérance. Lors de la première indépendance du pays, en 1918, les habitants de la Lituanie tout entière se déplacent et l'on recense alors plus de 3 000 croix.
Lors de la soviétisation du pays, la religion est interdite. En 1961, les soviétiques décident de détruire tous les symboles relatifs aux croyances. Ils essaient d'interdire l'accès à la colline, en l'engloutissant. Mais, les habitants construisent des ponts. L'oppresseur ordonne alors la présence du KGB sur le site. Les habitants continuent à planter des croix, sans avoir peur de braver l'autorité. Les soviétiques, furieux, décident alors d'employer une méthode radicale : la destruction du site à coups de tractopelle. Il est dit que chaque matin, sur le site détruit la veille, les croix réapparaissaient. Lorsque les mouvements pour la restauration de l'indépendance ont commencé en 1988 avec le soutien de l'Eglise, la colline des Croix a été déclarée lieu sacré.
Depuis, la colline des Croix est plus qu'un site attribué à la religion catholique. C'est le symbole de l'esprit rebelle du pays et de l'indépendance. Le pape Jean-Paul II a fait de la colline des Croix l'une des étapes de son pèlerinage lors de son voyage en Lituanie, en septembre 1993. Il y a même planté une croix – la plus grande – sur la place centrale. La tradition veut que chaque visiteur plante une croix. Il y a donc des marchands de souvenirs à l'entrée du site. Aujourd'hui, on dénombre – difficilement – plus de 60 000 croix de plus de un mètre. Mais il y en a des milliers – voire des millions – de toutes les tailles, de tous les matériaux et de tous les pays.

Kurtuvėnai

Le parc de Kurtuvėnai, d'une surface de 15 090 ha, a été établi en 1992 pour préserver cette région de lacs et de forêts (78,8 % du parc). C'est le troisième parc du pays, par sa surface. De nombreux affaissements de terrain sont dus aux sous-sols. On voit de nombreux trous, surnommés « trous du diable » – ne pas manquer celui de Pustautlaukis. On peut y voir des moulins à Dengtiltis et à Mirskiškė, une église baroque, un manoir du XVe siècle et un pub du XIXe siècle à Kurtuvėnai, ou encore la plus grande source de Lituanie à Svilė. Il y a des loups dans le parc. C'est également un site pour les oiseaux migrateurs.
Le parc est conseillé pour le farniente, la pêche, le vélo et l'équitation. On peut se rendre de Šiauliai à Kurtuvėnai en vélo, en suivant une route aménagée sur 17 km.

Châteaux de la vallée du Nièmen

Le long de la route entre Kaunas et Jurbarkas, à Raudondvaris, Veliuona et Raudonė, on peut visiter les châteaux de la vallée du Niémen. La région est également connue pour ses festivals de jazz au printemps. En attendant qu'un système de ferry voie le jour pour suivre le Niémen jusqu'à la lagune de Courlande, il est conseillé de faire le trajet en voiture. Il est possible d'organiser la visite via l'office de tourisme de Kaunas et des agences de voyages. En bus, il faut avoir du temps et être plutôt patient, tout en vérifiant les informations.

Histoire

A partir du XIIIe siècle, les chevaliers teutoniques s'efforcent de détruire le paganisme en voulant convertir les Lituaniens, encore insoumis, au catholicisme. Les rives du Niémen sont alors la frontière entre les païens et les chevaliers teutoniques, et donc le lieu de nombreuses batailles. Systèmes défensifs et châteaux en bois s'éparpillent sur la zone qui offre de bons points de vue pour faire face aux attaques de l'ennemi. Les chevaliers teutoniques les brûlent mais découvrent un système défensif utile. Aux XVe et XVIe siècles, la vallée du Niémen est une route commerciale très importante. Les châteaux sont alors reconstruits. Entre le XVIIIe et le XXe siècle, les châteaux seront détruits, reconstruits, puis à nouveau détruits, etc.

Le parcours

▶ **Au confluent du Niémen et du Nevėžis,** à quelques kilomètres de Kaunas, se trouve le château de Raudondvaris, d'où la vue sur la vallée est magnifique. Le bâtiment date de 1615. Au XVIIe siècle, la tour est transformée en forteresse (on voit les trous aménagés pour tirer). D'abord propriété des Radvila, le château revient ensuite aux Tiškevičius qui le reconstruisent dans un style néogothique auquel s'ajoute le style Renaissance original. En 1944, les nazis le brûlent. Les Soviétiques en font un institut scientifique. Aujourd'hui, c'est un musée (ouvert du mardi au samedi de 9h à 16h45, ✆ +370 37 44 96 01, ✆ portable +370 612 53 314, entrée 2 Lt). De juin à août, le château abrite un festival de musique.

▶ **A quelques kilomètres, de l'autre côté de la rivière,** on ne pourra s'empêcher de se rendre à Žapyškis, pour y admirer l'église gothique de Saint-Jean-Baptiste (1578). L'été, c'est le lieu de nombreux concerts. 35 km plus loin, se trouve le village de Seredžius, au confluent du Niémen et du Dubysa. Selon les légendes, ce serait le sanctuaire de la déesse Ramava ou le bastion du duc Palemonas, père fondateur de Kaunas.

Château de Panemunės.

A 10 km de là, Veliuona est connue comme étant l'endroit où le grand-duc Gediminas fut tué en 1341 par les chevaliers teutoniques. Il y aurait eu un château. Aujourd'hui, un monument est dressé en l'honneur du grand-duc.

A 10 km encore, se trouve le château de Raudonė. Ancienne propriété du marchand Kirschenstein au XVIIe siècle, ce palais de la Renaissance a été rénové dans un style néogothique. En 1944, les nazis font sauter la tour. L'ensemble a été rénové à la fin des années 1960. Aujourd'hui, on peut visiter le château (de 10h à 17h). Une fois passé le pont qui traverse le Niémen à Jurbarkas, se trouve le château de Panemunės, construit au début du XVIIe siècle.

Kėdainiai

La ville de Kėdainiai a été mentionnée pour la première fois en 1372. Mère patrie de la famille Radvila, elle est souvent présentée comme une ville protestante et a fait preuve tout au long de son histoire d'une grande tolérance envers les minorités religieuses. Catholiques, orthodoxes et juifs s'y côtoyaient. Aujourd'hui, on peut le voir dans l'architecture de la ville. Kėdainiai abrite le festival du concombre en juillet et est ainsi surnommé la « reine du concombre ».

Paberžė

Paberžė est un petit village au confluent des rivières Liauda et Nikis, à 32 km au nord de Kėdainiai qui abrite un musée en l'honneur de la rébellion de 1863 contre le tsar (ouvert de 10h à 17h, 4 Lt). L'église abritait l'étrange collection du père Stanislovas, mort en 2005 : croix en bois sculptées, robes de prêtres et nombreux ustensiles liturgiques.

Aukštaitija

La région d'Aukštaitija, littéralement les « Hautes Terres », située au nord-est de la Lituanie, est la plus grande des cinq régions ethnographiques du pays. C'est la région des lacs et des brasseries. Celles-ci peuvent faire l'objet du voyage, en suivant la route de la bière. Elles se visitent sur réservation. Enfin, le parc d'Aukštaitija, non loin de Vilnius, est conseillé à tous ceux qui n'ont pas le temps d'aller jusque dans l'ouest du pays.

Biržai

Les archéologues ont retrouvé des traces d'habitats de l'âge de pierre, à Žvirbliai et Papyvėsa. La région, principalement recouverte de forêts, a été colonisée après la victoire sur l'Ordre des chevaliers porte-glaive au XVe siècle. Le nom de Biržai (« clairière ») ferait référence au résultat de cette bataille. Biržai a été mentionné pour la première fois en 1398, lorsque le grand-duc Vytautas a gagné le territoire contre l'Ordre. Mais c'est en 1455 que ce nom est rattaché à un village, quand Radvila Astikaitis installe six paysans dans son manoir. C'est donc le siège de la plus puissante dynastie du grand-duché. Afin de protéger la frontière nord du pays, Kristupas Radvila Perkūnas entame la construction d'une forteresse en 1586. Pour renforcer le système défensif du bastion, il transforme le confluent de deux rivières en un réservoir de 400 ha, aujourd'hui appelé lac Širvėna. C'est le premier de la Lituanie ; il entoure la forteresse de remparts. La construction s'achève en 1589. Kristupas Radvila Perkūnas obtient les droits de gouverner la ville et Biržai devient la première ville « privée » de Lituanie. Située sur la route commerciale entre Vilnius et Rīga, la ville prospère. En 1625, les Suédois envahissent la Lituanie et assiègent Biržai, qui est brûlé.

Un nouveau château est reconstruit. Il sera le lieu du pacte anti-suédois signé par la Pologne, la Lituanie et la Russie. Mais en 1701, Biržai est à nouveau attaqué. En 1811, la famille Radvila vend la ville au comte Tiškevičiai qui s'installe de l'autre côté du lac et construit le palais Astravas. Des églises évangélique, catholique et orthodoxe ainsi qu'une synagogue sont construites. La famille Tiškevičiai fait venir d'Allemagne des experts et fondent la première brasserie.

Biržai a été ravagé par la Seconde Guerre mondiale, les nazis et l'Armée rouge s'y étant affrontés. Aujourd'hui, Biržai est un centre industriel, connu pour ses brasseries et ses usines de lin.

■ MUSÉE SĖLA (BIRŽŲ KRAŠTO MUZIEJUS SĖLA)

Situé à l'intérieur du château, en bordure du lac Širvėna, le musée Sėla retrace l'histoire de la ville, de la région et du pays.

Aukštaitija
Voies rapides
Routes principales
Routes secondaires
Voie ferrée
Villes principales
Villes importantes
Villes secondaires
Aéroport régional
0
20 km
N
Biržai
Pasvalys
Rokiškis
Kupiškis
Panevėžys
A2
Žibartoniai
Kėdaniai
Ukmergė
Anykščiai
Rubikiai
Utena
Molėtai
Labanoras
Kaltanėnai
Švenčionėliai
Švenčionys
Pabradė
Ignalina
Dūkštas
Visaginas
Drūkšiai
Zarasai
Avilys
Sartai
Stelmužė
BIÉLORUSSIE

© ISTOCKPHOTO.COM/BEYONDIMAGES

Ancien moulin à farine d'un village du parc national d'Aukštaitija.

Non loin du château, l'église réformée, de style néogothique en brique rouge, et l'église Saint-Jean-Baptiste, néoclassique, sont incontournables.

De l'autre côté du lac, en empruntant le pont en bois, le palais Astravas, qui ne se visite pas, mais la balade est agréable. On peut également se baigner dans le lac et pêcher.

PARC RÉGIONAL DE BIRŽAI (BIRŽŲ REGIONINIS PARKAS)

La particularité de ce parc réside dans les nombreuses dolines, un phénomène de corrosion du calcaire qui apparaît lorsque l'eau érode les couches de gypse. Ces affaissements de terrain créent ainsi des gouffres et des cavités souterraines qui abondent en légendes païennes. On en dénombre aujourd'hui 9 000. La plus visitée est la « grotte de la vache » (Karvės ola) qui est constituée de cinq grottes et de lacs souterrains, qui attirent les spéléologues. Elle se trouve à Karajimiškis, à 2 km de Biržai. De nombreuses autres dolines peuvent être aperçues le long de la route de Mantagailiškis, près de Padaičiai, Užubaliai et Kirkilai. Le parc régional a été créé en 1992 afin de préserver ces formations géologiques.

Panevėžys

Fondée au milieu du XVIe siècle, la cinquième ville du pays et la capitale de la région d'Aukštaitija est un centre industriel (surtout textile) peu attrayant pour le touriste vu de l'extérieur, avec son décor de ternes buildings construits sous l'occupation soviétique. Mais la ville est dynamique grâce à son importante université, et son centre-ville est très agréable avec son parc et ses pistes cyclables.

Panevėžys a mauvaise réputation dans tout le pays. On la surnomme « Chicago » car elle recense le plus grand nombre de crimes et délits du pays. Rassurez-vous, elle n'est pas si dangereuse. Il faut aussi savoir que la ville de Panevėžys est connue, depuis les années 1960, pour son Théâtre dramatique. De plus, ses musées, ethnographique et d'art folklorique et régional, méritent d'être visités.

■ CATHÉDRALE DU ROYAUME DU CHRIST (KRISTAUS KARALIAUS KATEDRA)

Elle fut construite en 1929, de style classique avec des éléments baroques. Son intérieur est richement peint et conserve une belle collection de statues baroques des XVIIe et XVIIIe siècles, portées ici de Vilnius.

■ ÉGLISE ORTHODOXE (STAČIATIKIŲ KRISTAUS PRISIKĖLIMO CERKVĖ)

Construite en 1892, en bois et peinte en bleu, elle est entourée par un cimetière et par un cimetière juif dont les résidents pour l'éternité sont tous morts en 1945.

■ ÉGLISE SAINTS-PIERRE-ET-PAUL (ŠV. PETRO IR POVILO BAŽNIČIA)

Cette église en briques fut construite en 1885 en style néo-romantique, avec une abside semi-circulaire et deux tours. A l'intérieur, on trouve trois nefs et trois autels.

■ GALERIE D'ART (DAILĖS GALERIJA)

Elle expose des artistes internationaux et est dédiée à l'art contemporain sous toutes ses formes.

■ GALERIE DE PHOTOGRAPHIES (FOTO GALERIJA)

Elle expose des artistes lituaniens.

■ MUSÉE DES SAJŪDIS ET DE LA RÉSISTANCE À L'OCCUPATION SOVIÉTIQUE (PASIPRIEŠINIMO SOVIETINEI OKUPACIJAI IR SĄJŪDŽIO MUZIEJUS)

Cette exposition retrace les mouvements de résistance face à l'occupation soviétique dans la région, de 1940 à 1990 : l'exil forcé, la guérilla, la résistance pacifique, le mouvement de libération (Sąjūdis).

■ MUSÉE DU LIN (LINŲ MUZIEJUS)

La région de Panevėžys est connue pour sa production de lin. C'est donc la région des moulins. Le musée retrace le processus de fabrication du lin dans un moulin vieux de 125 ans. Il est conseillé d'appeler avant tout déplacement.

■ MUSÉE RÉGIONAL (KRAŠTOTYROS MUZIEJUS)

Situé dans la demeure de la famille Moigis, ce musée fut fondé en 1925. Il présente de nombreuses pièces d'archéologie, histoire, nature et ethnographie.

■ PARC DE SENGAVĖ

Avec ses statues et ses pistes cyclables, c'est un lieu très agréable pour la promenade et la détente.

■ PAŠILIŲ STUMBRYNAS

Pašilių stumbrynas est la réserve des bisons européens et donc un centre de réimplantation et de réintégration à l'état sauvage. En 1854, il n'y avait plus aucun bison en Lituanie. C'est en 1969, avec l'importation de deux bisons de Russie, que la réserve de 50 ha a été fondée.

Six autres sont arrivés en 1970, et deux en 1972. En 1971, le premier bison est né dans la réserve. Il a été baptisé Giniris. Depuis, les bisons nés dans la réserve portent un nom commençant par les lettres GI. Aujourd'hui, 34 bisons vivent à l'état sauvage et une vingtaine sont gardés dans les enclos et peuvent être contemplés. La visite est sympathique et idéale avec des enfants.

Utena

Nous sommes ici dans la ville de la bière Utenos. La ville en elle-même n'est pas très intéressante, mais peut constituer un bon point de chute pour explorer la région. Utena est une des plus vieilles villes de Lituanie ; elle daterait du XIIIe siècle. Selon la légende, la ville aurait été construite par le duc Utenis.

■ ANCIENNE POSTE (SENASIS UTENOS PAŠTAS)

Un grand bâtiment blanc, construit entre 1830 et 1835, sis sur l'ancienne route reliant Varsovie à Saint-Pétersbourg. Il faisait office de poste d'étape pour les voyageurs et d'écurie pour les diligences. Le tsar Nicolas Ier et son fils Alexandre s'y sont rendus pour l'inauguration de la route et Honoré de Balzac aurait changé ses chevaux lors de son voyage. Aujourd'hui, et depuis 1992, le bâtiment de l'ancienne poste a été transformé en école d'art et il est possible de se rendre aux expositions qui y ont lieu.

■ COLLINE DES MARIES (VESTUVIŲ KALNAS)

A 3 km au nord d'Utena, sur les bords du lac Kloviniai se trouvent des sculptures en bois représentant le rituel du mariage.

■ ÉGLISE DU CHRIST MONTANT AU CIEL (KRISTAUS ŽENGIMO Į DANGŲ BAŽNYČIA)

En brique rouge, de style romantique et byzantin, cette église vaut le coup d'œil. Construite entre 1882 et 1884, son architecture est très originale par la coupole qui domine la partie centrale de l'édifice. Sur le toit, un ange se dresse vers le ciel. A gauche, un beffroi en brique au toit en bois, construit en 1876, renferme les cloches. Il y a une cave sous ce beffroi. Derrière l'église se trouve le cimetière.

■ MUSÉE RÉGIONAL (UTENOS KRAŠTOTYROS MUZIEJUS)

Situé dans l'un des bâtiments les plus anciens de la ville, il a été rénové en 2001. Le musée présente une collection de pièces archéologiques, ethnographiques et historiques locales et régionales.

Molėtai

Plus de trois cents lacs se concentrent autour de Molėtai, dont les fameux lacs Asveja et Malkestaisis.

■ FERME ETNHOGRAPHIQUE ET ANCIEN OBSERVATOIRE (ETNOGRAFINĖ SODYBA IR SENOVINĖ DANGAUS ŠVIESULIŲ STEBYKLA)

A sud de l'observatoire, au bord du lac Lenktinis, se trouvent les restes d'une vieille ferme ethnographique : une cave, une étable et un établissement pour les bains. A côté de la ferme, il est possible de découvrir un ancien observatoire païen composé de dix poteaux en bois, en cercle, et un autel en pierre. Dans l'antiquité, l'observatoire servait non seulement pour l'observation du ciel, mais aussi pour les rituels religieux.

■ MUSÉE DE LA VIE TRADITIONNELLE (MOLĖTŲ KRAŠTO MUZIEJUS)

Musée tourné vers la pêche et la production traditionnelle de lin. Tout y est en lituanien.

■ MUSÉE D'ETHNO-COSMOLOGIE (LIETUVOS ETNOKOSMOLOGIJOS MUZIEJUS)

Après sa rénovation, voici le musée réouvert. Une visite à ne pas louper !

■ OBSERVATOIRE ASTRONOMIQUE (MOLĖTŲ ASTRONOMIJOS OBSERVATORIJA)

Les passionnés d'astronomie pourront ici satisfaire leur curiosité. La visite comprend une conférence sur l'espace et l'observation du ciel avec le téléscope de l'observatoire. L'observatoire de Molėtai est une branche de l'Institut d'Astronomie de Vilnius. C'est l'occasion donc de se sentir astronome pour un soir !

■ PARC RÉGIONAL DE LABANORO (LABANORO REGIONINIS PARKAS)

Dans le plus grand parc régional du pays, la forêt couvre 80 % du territoire, et les lacs 14 %. Il comprend les districts de Moletai, Svenčionys et Utena. Il abrite de nombreux sites païens, des églises en bois et le très fameux observatoire astronomique. Le parc est idéal pour la pêche, la cueillette de baies et de champignons (en saison) et la marche.

Parc national d'Aukštaitija

Situé au nord-est de Vilnius, dans la région d'Ignalina, Utena et Švenčionys, ce tout premier parc du pays fut créé en 1974. Le parc d'Aukštaitija couvre 40 570 ha, et 80 villages en font partie. 70 % de son territoire est recouvert par des forêts de pins et de chênes centenaires ainsi que de bouleaux. Le parc est renommé pour l'abondance de ses lacs (126). Il recense le plus grand lac (le lac Kretuonas et ses 829 ha) et le plus profond (le lac Tauragnas, 60,50 m) de la Lituanie, sept îles, une trentaine de rivières et de cours d'eau. Plusieurs espèces végétales en voie de disparition sont protégées dans ce parc, qui tout en occupant 1 % du territoire national, présente 59 % des espèces végétales caractéristiques de la Lituanie. Il est particulièrement riche en champignons : 633 espèces ont été récensées ici. Le parc est aussi un paradis pour de nombreuses espèces animales : visons canadiens, élans, sangliers, aigles, oiseaux migrateurs et divers poissons de lac, dont des brochets. Cette région de lacs ravira les passionnés de sports nautiques ou de baignade. Les lacs de la région sont reliés par des rivières et il est possible de pénétrer dans le parc en canoë et en barque.

Château de Trakai.

se à Vilnius.

THOR'S IMAGE – SERGE OLIVIER

Église à Vilnius.

Église Saint-Michel-Archange.

Château de Trakai.

G

H

J

K

L

M

Index

Université de Vilnius.

Santé

Les services médicaux sont sûrs et les prix fixés. Cependant, les médecins et les infirmières étant vraiment sous-payés, un extra ne sera jamais refusé et peut faire accélérer les choses. Les pharmacies sont bien équipées, mais il est préférable d'emporter ses propres médicaments si l'on est en cours de traitement. Il est conseillé d'éviter de boire l'eau du robinet, lorsque les conduits sont vétustes ou rouillés... Les autochtones filtrent ou font bouillir parfois l'eau du robinet avant de la boire. En règle générale, l'eau est bonne et très pure. Quand elle est traitée, elle laisse un arrière-goût dans la bouche. Quoi qu'il en soit, on ne tombe pas malade à cause de l'eau en Lituanie.

Sécurité

En dehors des règles basiques de sécurité à respecter (à savoir : évitez d'afficher les signes ostensibles de prospérité ; ne laissez traîner aucun objet de valeur dans les chambres d'hôtel ; et enfin, la nuit, ne déambulez pas seul et en état d'ébriété dans les rues sombres de la ville), la Lituanie n'est en rien un pays dangereux.

Téléphone

- **De France en Lituanie :** 00 + 370 + code de la localité + numéro de votre correspondant.
- **De Lituanie en France :** 00 + 33 + numéro de votre correspondant sans le 0.
- **De Lituanie en Lituanie :** code de la localité + numéro de votre correspondant.
- **Codes des localités :** Klaipėda : 46 • Neringa : 469 • Trakai : 528 • Palanga : 460 • Panevėžys : 45 • Vilnius : 5 • Kaunas : 37.

Faire / Ne pas faire

- ***Si vous êtes invité à domicile,*** *à une célébration quelconque (anniversaire, remise de diplôme...), prévoyez des fleurs. Les Baltes s'offrent des fleurs en toute occasion, même entre hommes. Elles doivent être en nombre impair. A la fin d'un concert, il est d'usage de lancer des fleurs à l'artiste.*
- ***Lorsque vous allez au spectacle*** *(en particulier en hiver), ayez une paire de chaussures pour la soirée dans votre sac, vous en changerez au vestiaire.*
- ***Laissez un pourboire :*** *le service est inclus dans le prix, il n'y a donc rien d'obligatoire, cependant les salaires sont très faibles (de 200 € à 400 €) et tout pourboire est bienvenu.*
- ***Siffler dans un endroit couvert,*** *ça porte malheur !*
- ***Serrer la main de quelqu'un dans un encadrement de porte*** *(ou, de façon plus générale, rester dans l'encadrement de la porte) : cela signifie que vous allez vous brouiller avec votre hôte.*
- ***Garder vos chaussures d'extérieur aux pieds*** *ou votre manteau sur le dos, si vous êtes invité au domicile d'un Lituanien, même si votre hôte dit que ça ne pose aucun problème...*

Formalités

Depuis juillet 1999, le visa n'est plus nécessaire : un simple passeport en cours de validité (pendant plus de 6 mois encore à partir de la date d'entrée dans le pays) vous permettra donc d'entrer en Lituanie. Pour les ressortissants d'un pays membre de l'Union européenne, depuis le 1er mai 2004, une simple carte d'identité fait l'affaire.

Langues parlées

En plus du lituanien, le russe, l'allemand et l'anglais pourront vous être très utiles pour communiquer avec vos hôtes. Quoi qu'il en soit, si vous cherchez une information sans avoir le vocabulaire de base, les gens essaieront toujours de vous aider d'une façon ou d'une autre.

Quand partir ?

La haute saison touristique s'étend du 20 juin au 31 août. C'est sans doute la meilleure période pour visiter la région ; cependant les touristes y sont de plus en plus nombreux et les prix de plus en plus élevés (logements). A noter qu'il devient impératif de réserver. Les périodes de Noël et les fêtes de Pâques attirent des touristes de la région (Scandinaves et Russes). Les saisons creuses sont l'automne (octobre et novembre) et la fin de l'hiver (mars et début avril), en grande partie en raison du temps : l'automne est gris, voire sombre et humide, et la fin de l'hiver est faite de neige mouillée et de giboulées.

Tour de Gediminas.

Université de Vilnius.

Pense Futé

Adresses utiles

■ **AMBASSADE DE LITUANIE EN FRANCE**
22 bd de Courcelles
75017 Paris
✆ 01 40 54 50 50
fr.mla.lt
Le service consulaire est ouvert du lundi au vendredi de 10h à 13h.

■ **OFFICE DU TOURISME DE LITUANIE**
72 rue Pierre Demours
75017 Paris
✆ 01 46 22 53 84
www.infotourlituanie.fr
L'office du tourisme de la Lituanie a ouvert ses portes en avril 2007. Il est fortement conseillé de les contacter avant le départ !

Argent

Monnaie : La monnaie lituanienne est le litas (litai et lit au pluriel). On trouve des pièces de 1 centas, 2 et 5 centai, 10, 20 et 50 cent, de 1, 2 et 5 lit. Les billets en circulation sont ceux de 10, 20, 50, 100, 200 et 500 litai. Posséder des billets de plus de 100 Lt pour ce déplacer dans le pays est souvent source de difficulté : on ne peut pas vous rendre la monnaie.

Taux de change : Depuis le 28 juin 2004, la parité avec l'euro est stable pour la monnaie lituanienne, compte tenu de son adhésion à l'Union européenne. L'objectif était l'adoption de l'euro au 1er janvier 2007, mais l'Union a rejeté cette éventualité en 2006. L'objectif est maintenant reporté à 2014 en raison de la crise économique. Le taux de change est fixé à : 1 € = 3,45 Lt / 1 Lt = 0,29 €.

Bagages

Il est impératif de se protéger de la pluie (Lituanie signifie « le pays de la pluie »). Il est donc judicieux de se munir d'un très bon imperméable et d'un parapluie et ce, à tout moment de l'année. En hiver, prévoyez des vêtements extrêmement chauds. De même, même en été, les nuits sont fraîches, un pull et une veste doivent donc être prévus. Le maillot de bain est obligatoire à toutes les saisons pour profiter des joies des baignades dans les lacs ou dans la mer, tout comme celles du sauna et des cures thermales.

Électricité

La norme est de 220 V (50 Hz). Les prises sont à deux branches. La Lituanie utilise, comme nous, le système métrique.

Château de Trakai.

© AUTHOR'S IMAGE – SERGE OLIVIER

A sud de l'observatoire, au bord du lac Lenktinis, se trouvent les restes d'une vieille ferme ethnographique : une cave, une étable et un établissement pour les bains. A côté de la ferme, il est possible de découvrir un ancien observatoire païen composé de dix poteaux en bois, en cercle, et un autel en pierre. Dans l'antiquité, l'observatoire servait non seulement pour l'observation du ciel, mais aussi pour les rituels religieux.

■ **MUSÉE DE LA VIE TRADITIONNELLE (MOLĖTŲ KRAŠTO MUZIEJUS)**

Musée tourné vers la pêche et la production traditionnelle de lin. Tout y est en lituanien.

■ **MUSÉE D'ETHNO-COSMOLOGIE (LIETUVOS ETNOKOSMOLOGIJOS MUZIEJUS)**

Après sa rénovation, voici le musée réouvert. Une visite à ne pas louper !

■ **OBSERVATOIRE ASTRONOMIQUE (MOLĖTŲ ASTRONOMIJOS OBSERVATORIJA)**

Les passionnés d'astronomie pourront ici satisfaire leur curiosité. La visite comprend une conférence sur l'espace et l'observation du ciel avec le téléscope de l'observatoire. L'observatoire de Molėtai est une branche de l'Institut d'Astronomie de Vilnius. C'est l'occasion donc de se sentir astronome pour un soir !

■ **PARC RÉGIONAL DE LABANORO (LABANORO REGIONINIS PARKAS)**

Dans le plus grand parc régional du pays, la forêt couvre 80 % du territoire, et les lacs 14 %. Il comprend les districts de Moletai, Svenčionys et Utena. Il abrite de nombreux sites païens, des églises en bois et le très fameux observatoire astronomique. Le parc est idéal pour la pêche, la cueillette de baies et de champignons (en saison) et la marche.

Parc national d'Aukštaitija

Situé au nord-est de Vilnius, dans la région d'Ignalina, Utena et Švenčionys, ce tout premier parc du pays fut créé en 1974. Le parc d'Aukštaitija couvre 40 570 ha, et 80 villages en font partie. 70 % de son territoire est recouvert par des forêts de pins et de chênes centenaires ainsi que de bouleaux. Le parc est renommé pour l'abondance de ses lacs (126). Il recense le plus grand lac (le lac Kretuonas et ses 829 ha) et le plus profond (le lac Tauragnas, 60,50 m) de la Lituanie, sept îles, une trentaine de rivières et de cours d'eau. Plusieurs espèces végétales en voie de disparition sont protégées dans ce parc, qui tout en occupant 1 % du territoire national, présente 59 % des espèces végétales caractéristiques de la Lituanie. Il est particulièrement riche en champignons : 633 espèces ont été récensées ici. Le parc est aussi un paradis pour de nombreuses espèces animales : visons canadiens, élans, sangliers, aigles, oiseaux migrateurs et divers poissons de lac, dont des brochets. Cette région de lacs ravira les passionnés de sports nautiques ou de baignade. Les lacs de la région sont reliés par des rivières et il est possible de pénétrer dans le parc en canoë et en barque.

N / O

P

Place de l'Hôtel de ville.

© AUTHOR'S IMAGE – SERGE OLIVIER

R

S

T

U

V / Z

Maisons de Nida.

AUTEURS ET DIRECTEURS DES COLLECTIONS
Dominique Auzias & Jean-Paul Labourdette

DIRECTEUR DES EDITIONS VOYAGE
Stéphan Szeremeta

RESPONSABLE CARNETS DE VOYAGE
Jean-Pierre GHEZ

RESPONSABLES EDITORIAUX VOYAGE
Patrick Maringe et Morgane Veslin

EDITION ✆ 01 72 69 08 00
Julien BERNARD, Sophie CUCHEVAL, Caroline MICHELOT, Pierre-Yves SOUCHET, Maïssa BENMILOUD

ENQUETE ET REDACTION
Antoine RICHARD, Federica VISANI, Gaëlle HENRY et alter

SERVICE STUDIO
Sophie LECHERTIER et Romain AUDREN

MAQUETE & MONTAGE
Julie BORDES, Elodie CLAVIER, Élodie CARY, Sandrine MECKING, Delphine PAGANO, Laurie PILLOIS et Evelyne AMRI

CARTOGRAPHIE
Philippe PARAIRE, Thomas TISIER

PHOTOTHEQUE ✆ 01 72 69 08 07
Élodie SCHUCK

RELATIONS PRESE ✆ 01 53 69 70 19
Jean-Mary MARCHAL

DIFFUSION ✆ 01 53 69 70 68
Eric MARTIN, Bénédicte MOULET assistés d'Aissatou DIOP, Alicia FILANKEMBO et Perrine GALASKA

RESPONSABLE DES VENTES
Jean-Pierre GHEZ

DIRECTEUR ADMINISTRATIF ET FINANCIER
Gérard BRODIN

RESPONSABLE COMPTABILITE
Isabelle BAFOURD assistée de Christelle MANEBARD, Oumy DIOUF et Jeannine DEMIRDJIAN

DIRECTRICE DES RESOURCES HUMAINES
Dina BOURDEAU assistée de Sandra MORAIS et Claudia MARROT

■ CARNET DE VOYAGE LITUANIE 2013 ■

NOUVELLES ÉDITIONS DE L'UNIVERSITÉ©
Dominique Auzias et associés©
18, rue des Volontaires - 75015 Paris
Tél. : 33 1 53 69 70 00 - Fax : 33 1 53 69 70 62

ISBN - 9782746964518
Imprimé en France par
IMPRIMERIE CHIRAT - 42540 Saint-Just-la-Pendue

Pour nous contacter par email, indiquez le nom de famille en minuscule suivi de @petitfute.com
Pour le courrier des lecteurs : country@petitfute.com

PEFC™ **10-31-1895**

Achevé d'imprimer en 2013